科学情報過程論 II

―科学技術立国を検証する―

島田久美子

遊友出版

科学情報過程論 II

—科学技術立国を検証する—

目次

第4章　日本の科学ジャーナリズムと科学情報過程論

第5章　サイエンスカフェ、サイエンス・コミュニケーションと科学情報過程論

はじめに

科学技術の進歩が社会を激変させる中、市民が科学知にアクセスし、科学知と社会の関係性のあり方の決定に参画することはできないのか、その道筋を探るのが当研究の目的である。地球規模の環境問題から、生命倫理の根幹を変えつつある再生医療や遺伝子改変など、ただ、科学技術が引き起こす変動に、情報共有がないまま市民が巻き込まれるだけでは、極めて危うい状況である。科学情報に市民がアクセスでき、市民社会に何らかのコンセンサスが得られ、科学者や一部の財界人の判断に科学知の利用や研究方針の決定を任せるのではなく、市民が参画することで社会がデザインされる、そのような道筋を探りたい。単にトランス・サイエンスとして社会と科学の交錯地点を探るだけでは、産学協同の潮流の中で市民が参画する道筋を探るのは困難であるし、科学者と市民のサイエンス・コミュニケーションを探るだけでは、この課題に対応できないのは明白である。そこで、国家や産業などのアクターも対象にした科学情報の流通構造・過程を解析し、科学情報の制御の試みを調べ、あり得べき科学情報の流通を特に市民サイドの参画によるシステム構築の可能性を探り、「科学情報過程論」として提唱したい。この新たな造語とその概念は、市民生活や社会の方向性を決定するような産業・社会活動に関しては、法制度や様々なシステム構築がなされるべきであるという点である。

この論文では、第1章で原子力発電を巡る情報過程を、第2章でIT技術革新、第3章でAI技術と工学分野の科学情報過程を分析、第一巻で課題となっていた科学ジャーナリズムや科学コミュニケーションの実態を分析、その背景にある科学技術政策についての考察を加えた。

経済、政治でも同様であるが、科学においては、その世界へのインパクトの大きさに比して、その方向性を制御する制度も思想も不足しているといわざるを得ない。まさに、その方向性を探ることは、現代の喫緊の課題と言えると考える。そのため、当該研究を実施する。なお、この本で分析した科学情報の各分野は、研究・開発あるいは問題の発生が新しく、社会へのインパクトが分かりやすいものを選択した。科学情報過程論の第一巻で扱わなかった工学分野の科学知の情報過程に関しての考察が今回の書籍となっている。

第1章　原子力発電と科学情報過程論

1. はじめに

福島第一発電所の事故は、日本中を不安の渦に陥れ、一時は全国の原子力発電所が全て運転を停止する事態に陥った。戦後、原子力の平和利用の名のもとに、産官学が連携し、莫大な補助金を投入して日本全国に原子力発電所を設置してきた。政府が事故の実態や、放射能汚染の情報を国民に示さなかったことは、国民に大きな不安を抱かせ、マスメディアへの不信から、ホームページなどの草の根ネットワークの情報を頼りにする市民も増えた。チェルノブイリ原発事故以降も、産官学が主張してきた安全神話の回復は、もはや不可能に近い状態だ。全国で原子力発電所の再稼動に反対する市民運動が続き、差止や損害賠償などの訴訟も相次いでいる。福島第一原子力発電所の事故原因が究明されていないにもかかわらず、政府は新基準のもとでの原発の再稼動を目指し、着々と実施しており、市民社会の不安が高まっている。

歴史を振り返ってみると、原子力の利用は軍事技術から始まった。核分裂の際に発生する膨大なエネルギーをどう利用するか、ナチスから逃れた物理学者たちはアメリカで原子爆弾の研究であるマンハッタン計画に駆り出された。その危険性を訴える一部の物理学者もいたが、マンハッタン計画は遂行され、原子爆弾は日本に甚大な被害をもたらした。戦後、原子力の平和利用として原子力発電が導入された。石油以外の発電が不可欠だとして、膨大な補助金のもと産官学が連携し、軽水炉を日本全国に配置し、プルサーマル計画に則りプルトニウムを利用する高速増殖炉も建造された。政府は、安全神話のもとで、危険性を指摘する学者たちの意見を無視してきたが、スリー・マイル島原子力発電所やチェルノブイリ原子力発電所の事故以降、国内でも高木仁三郎氏などの尽力もあって反原発運動が高まった。東日本大震災での福島第一発電所の事故は、世界を揺るがした。放射能汚染の実態を政府が公表を遅らせたことなどが明らかになり、一時は日本中の原子力発電所が停止する事態に陥った。政府は、従来の原子力発電利用の状態を取り戻すために、再稼動計画を進めているが、住民の不安は大きく、かつての安全神話は復活しそうもない。

朝日新聞の２０１７年２月に実施した全国世論調査では[1]、運転再開には反対が57％と、賛成29％を上回った（２月21日朝日新聞）。昨年10月の調査でも、反対が58％と一貫して多数を占めている。政府やマスコミも、情報を迅速かつ正確、十分に市民に提供しなかったため、信頼を失った。日本国内にいると意識されることは少ないが、国境なき記者団が発表している「報道の自由度ランキング」[2]によると、世界１８０カ国と地域のメディアの独立性などの面からの日本のメディアの評価

1　朝日新聞デジタル（原発世論調査）http://www.asahi.com/articles/ASJBK4H0XJBKUZPS001.html（２０１７.５.１）

2　朝日新聞デジタル（報道の自由度ランキング）http://www.asahi.com/articles/ASK4V5V7K4VUHBI02S.html（２０１７.５.１）

は、２０１５年には61位と先進国の中では最低ランクになっている。原子力発電に関する科学情報過程を、社会システム論を援用して分析することで、情報過程の課題を明らかにし、このような技術に市民社会がどう対峙すればよいのかを、情報の供給と流通と受容の観点から考察したい。

2. 日本の原子力発電の歴史

原子力委員会によれば、[3] 日本の原子力発電は１９５３年、国連総会でのアメリカのアイゼンハワー大統領の「原子力平和利用提案」から始まった。１９４５年８月の終戦後、日本の経済復興のために傾斜投資による電力増産が行われ、１９５１年には、戦前から続いた電力統制が終わり、国営の日本発送電会社と９つの民営配電会社体制の後の電力再編成によって、現在の発送配電一貫の民営９電力会社と国営の電源開発会社が誕生した。戦後の電力事情が悪い中、「正力・河野論争」という原子力発電は民間会社で実施するか国営会社で実施するのかの対立はあったが、最終的には民営

3　原子力委員会（原子力発電の歴史）http://www.aec.go.jp/jicst/NC/sonota/study/aecall/book/pdf/5syou.pdf#search=%27%E5%8E%9F%E5%AD%90%E5%8A%9B%E5%A7%94%E5%93%A1%E4%BC%9A+%E5%8E%9F%E5%AD%90%E5%8A%9B%E7%99%BA%E9%9B%BB%E3%81%AE%E6%AD%B4%E5%8F%B2%27（２０１７．５．１）

の国策会社「日本原子力発電会社」が官民により設立された。

アメリカから導入した技術と貸与されたウランによって、茨城県東海村の日本原子力研究所に小型研究用原子炉ＪＲＲ１、２、３ならびに動力試験炉ＪＰＤＲを建設、１９５４年には旧ソ連が独自のチャンネル型黒鉛原則軽水沸騰炉で世界初の原子力発電所を、１９５６年にはイギリスが世界初の商業用電力黒鉛減速炭酸ガス冷却炉を完成させていた。原子力プラントメーカーなどの原子力産業も高度かつ広範囲な原子力技術に関わる技術の総合化と巨額にわたる必要資金の調達を目指して5つの三号グループ（三菱・住友・三井・東京原子力・第一原子力）が結成された。第一原子力グループの富士電機を主契約者とする、日本原子力発電によるコルダーホール型ガス炉に続く軽水炉プラントの建設にあたり、加圧水路はアメリカのウエステングハウス社（ＷＨ）と提携した三菱重工業が、また沸騰水炉（ＢＷＲ）はアメリカのジェネラルエレクトリック社（ＧＥ）と提携した東芝と日立製作所が主契約になっている。日本初の商業原子力プラントの東海発電所は１９６０年に着工、１９６６年に運転を開始した。

昭和30年代には、アメリカで商業用プラント向けにスケールメリットによる経済性を追求した大型原子炉として、ＧＥは沸騰水炉、ＷＨは加圧水炉と軽水炉の開発と市場開拓が進んだ。日本の電力会社は軽水炉の導入に傾き、日本原子力発電による敦賀1号、関西電力美浜1号、東京電力福島第一１号が相次いで導入された。

使用済みのウラン燃料を国内で再処理・リサイクルすることによって輸入ウランを国内資源にかえていくこと、原子力発電の技術を国産・自主技術化することが国の方針として目指され、1975年から85年にかけての10年間、3次にわたって「軽水炉改良標準計画」が展開され、軽水炉が「日本的軽水炉」に育成された。その結果として、故障率・稼働率・作業員線量などで世界トップレベルの運転実績を示し、改良型沸騰水炉（ABWR）が作り出され、世界最初の東京電力柏崎刈羽6、7号機が建設された。この結果、日本の原子力発電は安全で、絶対に事故を起こさないという神話が生まれた。

電力会社が中核となって核燃料サイクル事業の一環として、青森県六ヶ所村にウラン濃縮施設を運転中のほか、再処理施設が建設中であり、ウラン―プルトニウム混合酸化物燃料（MOX燃料）製造施設が計画されている。プルトニウムは軽水炉の使用済み燃料に含まれ、これをリサイクル利用するのがプルサーマルである。このプルサーマルを9電力、日本原子力発電、電源開発の11社が、国内の多数のプラントで実施する計画であったが、MOX燃料の品質管理の捏造問題や、地元住民の反対運動の激化などから、プルサーマル実施は実質頓挫しているのが実情だ。

日本の原子力発電の歴史は、官民が一体となり国策として実施されてきたのが実情である。多くの事故やトラブルに関しては、情報が電力会社や国によって隠蔽されることが多く、また建設に当たっては多額の補助金が自治体に供与され[4]、その後も補助金頼りで自治体の財政が運営されるために、反対住民が迷惑がられたり、差別されたりなど、地方政治の歪みが指摘されてきた。

3. 東海村、スリー・マイル、チェルノブイリ事故

１９７９年３月28日、アメリカのペンシルベニア州のスリー・マイル島原子力発電所で国際原子力事象評価尺度において、レベル５に分類される深刻な原子力事故が発生した[5]。原子炉冷却材喪失事故に分類され、炉心は融解し、メルトダウンが発生していた。このレベルの事故は発生しないと信じられていたため、世界中に衝撃が走った。国内では広瀬隆氏が１９８１年に安全神話を逆手に取った発想で世論を喚起する『東京に原発を！』（ＪＩＣＣ出版）という書籍を出版し、ベストセラーになるなど話題になった。

スリー・マイル島原子力発電所のレベル５の事故後、各国で安全対策が講じられたはずであった。しかし１９８６年４月26日、ソビエト連邦（現ウクライナ）のチェルノブイリ原子力発電所４号炉

4　長谷川広一『脱原子力社会へ―電力をグリーン化する』岩波新書、２０１１年、ｐ51～ｐ53

5　高度科学技術研究機構ホームページ（米スリー・マイル島原発事故の概要）http://www.rist.or.jp/atomica/（２０１７.５.１）

において、国際原子力事象評価尺度でレベル7の深刻な事故が発生した。[6] 黒鉛減速沸騰軽水圧力管型原子炉のＲＢＭＫ―１０００型の4号炉が、炉心溶融ののち爆発し、放射性物質は広範囲を汚染した。現在も、原発から半径30㎞以内の地域での居住が禁止されており、ホットスポット（高汚染地域）も点在している。ソ連政府は、当初この事故を隠蔽し、周辺住民も避難させなかったため、多くの住民が被爆した。現在、爆発した4号炉は、コンクリートで封じ込めた石棺という構造物と金属シェルターで覆われている。

１９９９年9月30日、茨城県那珂郡東海村にある核燃料加工施設で臨界事故が発生し、国内初の事故被曝での死者が発生した。[7] 核燃料を加工中にウラン溶液が臨界状態に達し、国際原子力事象評価尺度でレベル4の事故と位置づけられた。ＪＣＯは燃料加工工程で、「裏マニュアル」を用い、ステンレス製のバケツを用いて作業していた。この際に、従業員は青い光を見たと証言したが、それは臨界に達した状態であった。

内閣総理大臣への報告や、周辺住民への避難勧告なども遅れ、杜撰な事故対応も問題となった。国内で起きた初の原子力事故として多くの識者が分析・批判を行った。ヒューマンエラーだとする多

6　七沢潔『原発事故を問う』岩波新書、１９９6年、ｐ14～ｐ76

7　原子力安全委員会ウラン加工工場臨界事故調査委員会報告の概要 http://www.aec.go.jp/jicst/NC/tyoki/siryo/siryo05/siryo52.htm（２０１７．５．１）

くの見解と、高木仁三郎氏のように、原子力発電という科学技術そのものに孕む問題性を指摘する識者に分かれた。[8] このような事故の再発防止に向け、国は調査報告書を作成している。

チェルノブイリ原発事故では、農産物なども汚染され、また世界中で高濃度の放射能が検出されて、パニックになった。このような事故が発生するのであれば、原子力発電は廃止したほうがいいのではないかという反原発の動きが世界中で活発になった。ドイツでは、反原発を掲げる緑の党が躍進し、ドイツ国内の原子力発電を廃止することが議会で決まった。[9] それ以降、脱原子力を国是としている。

また、原子力発電の核のゴミを再利用するプルサーマル計画で、燃料となるプルトニウムは、極めて毒性が高く、核兵器の材料でもあり、保存には機密性が不可欠である。このような性格を持つプルトニウムを大量に蓄積していくことに対して、国家機密を保持することが必然の社会「プルトニウム社会」は民主主義の危機である（『脱！プルトニウム社会』２００９年、七ツ森書館）、『プルトニウムの恐怖』[10]（岩波新書、１９８１年）として、高木仁三郎氏、西尾漠氏など多くの識者たちが批判を繰り広げてきた。

8　高木仁三郎『原発事故はなぜくりかえすのか』岩波新書、２０００年、p124〜p142

9　『ドイツは脱原発を選んだ』岩波ブックレット、２０１１年、p19〜p44

10　高木仁三郎『プルトニウムの恐怖』岩波新書、１９８１年、p186〜p190

また、チェルノブイリ以降の国内の原子力発電に対するイメージ戦略、地球温暖化対策として、原子力はクリーンなエネルギーという喧伝が国や電力会社として大規模に予算を用いてなされた。テレビＣＭでも連日のように、「原子力＝クリーン」というイメージがＰＲされていた。[11]

4. 福島第一原子力発電所事故の教訓

東日本大震災に起因する福島第一原子力発電所の事故に際しての情報公開に関して、国民の間には政府と東京電力に関する大きな不信が生じた。当時の政権与党であった民主党により、炉心融解の状態であったにも関わらず、政府は事故を軽く見せるかのような発表に終始した。また、安全な避難のために使われるはずであったＳＰＥＥＤＩのデータは隠蔽され、[12]事故後相当の月日が経過した後にしか公表されなかった。このデータは、多くの福島県民が、放射能の濃度が高い方向に避難を余儀無くされたことを明らかにして、非難が相次いだ。

マスコミも、このような情報統制的な姿勢に終始する政府を批判せず、大本営発表のような政府

11　本間龍『原発プロパガンダ』岩波新書、２０１６年、ｐ62～ｐ77
12　海渡雄一『原発訴訟』岩波新書、２０１１年、ｐ205

の情報を後追い報道する傾向が強かった。パニックを避けたいという判断からなのか、海外のマスコミでは甚大な影響可能性が報道されていたのに、国内のメディアは深刻な放射能汚染を報道することはなかった。各地で高い濃度の放射能が測定され、その中で市民団体などが独自に調査する状況が生まれた。福島産の農産物や海産物などの汚染が心配されていたが、これも調査が継続せず、風評被害を防ぐとの名の下に、中国・韓国では未だに輸入禁止なのにも関わらず、安全宣言が急がれた観がある。

そして、福島第一発電所では汚染水が海へ流出し続けていることが明らかになり、安全宣言されていた海産物の放射能汚染の状態も危惧される事態となっている。現在まで、魚介類の汚染がどの程度広がっているのか、広範囲で継続的な調査は実施されていない。生物濃縮などの危険性はないのか、汚染水は引き続き海に流れ込んでいるが、海流によって他地域が汚染されないのかなど、疑念は広がる一方である。汚染水は溜まり続けており、水害で一部流出してしまうなど管理も杜撰なのが実態だ。除染活動が続き、避難勧告も解除され続けてはいるが、帰還不可能地域も設定されており、福島第一原子力発電所の溶解した炉心の処理がどのような方法で行われるのか、どのくらいの期間がかかるのか、どれほどの費用が必要なのかも確定していない。廃炉の際の膨大な放射性廃棄物の最終処分場も未決定なままだ。

また、放射能の危険性などの情報に関しても、政府の所謂御用学者たちが、安易に安全であるというような発言を行い、リベラル系のマスコミは、「原子力村の住民」と呼んで、批判的な立場を取っていた。しかし、一方では、非科学的な風評被害も発生し、ネットでは様々な噂が飛び交い、正確な情報を市民が入手することの困難さも生じていた。誰のための何のための情報提供なのか、首を傾げざるを得ないのが日本のメディアの実態である。

小熊英二は『日本の原発と原発反対運動の歴史社会学的考察』[13]において、ポスト福島の反原発運動は、従来の運動とは変質し、30代を中心とする「自由」労働者が増加したと指摘している。デモにも旧来の左翼の運動のような組織的動員がなく、ツイッターやフェイスブックで一万人以上が集まる。ポスト工業化社会への移行によって出現した新しい「自由」層が、原発反対運動に流入してきたためであると分析している。

しかしながら、小熊の指摘によると、反原発のデモは、些細な警官との衝突で逮捕者が出てからは、下火になったという。従来の、原発＝国の方針、反原発＝左翼＝犯罪者という構図が未だに残っていることが考えられる。高木仁三郎氏は、『市民科学者として生きる』の中で、原発反対運動がいかに様々な嫌がらせを受けたか、その嫌がらせで多くの仲間が反原発運動を辞めて行ったかを記述

13 『日本の原発と原発反対運動の歴史社会学的考察』http://ieas.berkeley.edu/events/pdf/2012.04.20_sustainability_oguma_jp.pdf#search=%27%E5%B0%8F%E7%86%8A%E8%8B%B1%E4%BA%8C+%E6%97%A5%E6%9C%AC%E3%81%AE%E5%8E%9F%E7%99%BA%E3%81%A8%27（２０１７.５.１）

しており、[14]そのような嫌がらせや、反原発＝左翼＝危険というレッテル貼りがされる社会から、誰もが自分の意見を自由かつ安全に述べられる民主主義の社会がいつになったら到来するのかと危惧を覚える。

5．主要な原発訴訟

全国各地の地裁に、原子力発電所の設置や運転差し止めなどの訴訟が反対派の住民らによって提起されているが、最高裁まで争われても棄却になるケースが大半である。従来の訴訟の全てをここに記すことは字数から不可能のため、最近の訴訟について述べたい。福島第一原子力発電所の事故以降は、地裁において民事訴訟によって運転差し止めが認められるケースも出始めている。２０１６年５月２日に電気新聞に掲載された電力中央研究所の田邉朋行氏の記事[15]によると、原子力を巡る行政訴訟では、伊方最高裁判決（１９９２年10月）によって、原子炉施設の安全性を独自の立場から審査するのではなく、行政判断に不合理な点があるか否かから審査するというアプローチ「伊方

14　高木仁三郎『市民科学者として生きる』岩波新書、１９９９年、Ｐ213～ｐ216

15　電気新聞ゼミナール　田邉朋行　http://www.denken.or.jp/jp/serc/denki/pdf/20160502.pdf（２０１７．５．１）

アプローチ」が確立されたという。仮処分を含む差し止め訴訟は民事訴訟で、そのような司法判断アプローチが未確立なために、差止を認める判断と認めない判断の双方が下されていると述べている。

伊方最高裁判決[16]では、「原子炉施設の安全性に関する判断の適否が争われる原子炉設置許可処分の取消訴訟における裁判所の審理、判断は、原子力委員会もしくは原子炉安全専門審査会の専門技術的な調査審議及び判断を基にしてされた判断に不合理な点があるか否かという観点から行われるべきであって、現在の科学技術水準に照らし、調査審議において用いられた具体的審査基準に不合理な点があり、あるいは当該原子炉施設が右の具体的審査基準に適合するとした原子力委員会若しくは原子炉安全専門審議会の調査審議及び判断の過程に看過しがたい過誤、欠落があり、判断がこれに依拠されてされたと認められる場合には、判断に不合理な点があるものとして、判断に基づく原子炉設置許可処分は違法と解すべきである。」との見解が示されている。

女川差止訴訟第一審判決[17]は、伊方最高裁判決に類似したアプローチで差止を否定した。川内原子力発電所の差止を否定した訴訟も、このアプローチを取っている。大飯３、４号機差止訴訟第一審

16　最高裁裁判例（伊方最高裁判決）www.courts.go.jp（２０１７．５．１）

17　有斐閣ホームページ（女川差止所掌第一審判決）http://www.yuhikaku.co.jp/static_files/shinsai/jurist/J1068038.pdf#search=%27%E5%A5%B3%E5%B7%9D%E5%B7%AE%E6%AD%A2%E8%A8%B4%E8%A8%9F%E7%AC%AC%E4%B8%80%E5%AF%A9%E5%88%A4%E6%B1%BA%27（２０１７．５．１）

判決は、原子力の安全性について、行政の安全審査とは別に司法自らが実態的に判断するというアプローチを取っており、差止を認めている。

大飯原発差止訴訟の地裁判決[18]では、福井地裁の樋口英明裁判長が、「新しい技術が、潜在的に有する危険性を許さないとすれば、社会の発展はなくなるから、新しい技術の有する危険性の性質や、もたらす被害の大きさが明確でない場合には、その技術の実施の差止の可否を、裁判所において判断することは困難を極める。しかし、技術の危険性の性質や、そのもたらす被害の大きさが判明している場合には、技術の実施に当たっては、危険の性質と被害の大きさに応じた安全性が求められることになるから、この安全性が保持されているかの判断をすればよいだけであり、危険性を一定程度容認しないと社会の発展が妨げられるのではないかといった、葛藤が生じることはない。原子力発電技術の危険性の本質、及びそのもたらす被害の大きさは、福島原発事故を通じて十分に明らかになったといえる。本件訴訟においては、本件原発において、かような事態を招く具体的危険性が、万が一でもあるのかが、判断の対象とされるべきであり、福島原発事故の後において、この判断を避けることは、裁判所に課された最も重要な責務を放棄するに等しいものと考えられる。」と判決文で

18　裁判所裁判例（大飯原発差止訴訟地裁判決）http://www.courts.go.jp/app/hanrei_jp/detail4?id=84237（２０１７．５．１）

はっきり述べたことは、科学技術と司法の関係において、極めて示唆に富むものである。

大飯原発3、4号機の再稼動に向けた審査[19]で、2017年2月、原子力規制委員会は、関西電力の安全対策の基本方針が新規制基準に適合すると認める審査書案を了承、関西電力は夏にも再稼動する方針を示している。

一方、九州電力川内原発1、2号機の運転差止の仮処分を地元住民が求めた即時抗告審[20]では、福岡高裁宮崎支部の西川知一郎裁判長は、「新規制基準に適合するとした原子力規制委員会の判断が不合理とはいえない」として、住民側の申立てを棄却する決定を下している。

また、2017年の3月17日には、避難した住人137人らが、国と東京電力に計約15億円の損害賠償を求めていた訴訟で、前橋地裁が原告勝訴の判決を下している。[21] 原道子裁判長は、「東電は巨大津波を予見しており、事故は防げた」として、東京電力と安全規制を怠った国の損害責任を

19 朝日新聞デジタル（大飯原発再稼動）http://www.asahi.com/topics/word/%E5%A4%A7%E9%A3%AF%E5%8E%9F%E7%99%BA.html（2017.5.1）

20 日経新聞ホームページ（川内原発抗告審）http://www.nikkei.com/article/DGXLASDG06H1F_W6A400C1000000/（2017.5.1）

21 毎日新聞ホームページ（福島損害賠償）https://mainichi.jp/articles/20170317/k00/00e/040/278000c（2017.5.1）

認める判決を下した。同裁判長は、政府が２００２年、「福島沖を含む日本海溝沿いでマグニチュード８級の津波地震が30年以内に20％の確立で発生する」とした長期評価を発表した数ヶ月後には、国と東電は巨大津波の予見は可能で、東電は長期評価に基づき津波の高さを試算した８年には実際に予見していたと指摘。配電盤を高台に設置するなどの措置は容易で、こうした措置を取っていれば事故は発生しなかったとし、安全より経済的合理性を優先させたことなど「特に非難に値する事実がある」と述べている。

しかし、同年３月28日、大阪高裁は、大津地裁が出していた関西電力高浜原発３・４号機の運転差止仮処分決定を取り消し、運転再開を求めて保全広告していた関西電力側の訴えを認めた[22]。裁判所は、国が福島第一原発事故の後に定めた新規制基準について、「現在の科学技術水準を踏まえた合理的なもの」と評価、原発の安全性の立証責任について「安全審査に関する使用をすべて保有する関電がすべきだ」と指摘し、関電の安全対策は新基準に適合していると評価する一方、住民側には「新基準自体に合理性がないことを立証する必要がある」と求めた。専門家が策定した基準の合理性の有無を住民が立証することは極めて困難であり、今後の係争中の訴訟の行方も懸念される内容だ。

22　朝日新聞デジタル（高浜原発再稼動）http://www.asahi.com/articles/ASK3X3DJ6K3XPTIL00D.htm（２０１７.５.１）

２０１１年7月16日、脱原発弁護団全国連絡会が約１００人の弁護士によって結成された。『原発訴訟』の著者の海渡雄一弁護士は、「さらなる原発訴訟を」[23]と、司法による脱原発を目指しており、多くの法曹家が科学者と協力して、市民社会と法・政治システム間、法・政治システムと経済システム間のコミュニケーションの可能性を志向している。

6. 原子力発電と教育

学校教育において、原子力発電の仕組みは殆ど扱われていない。小学校では、原子核などについては学習せず、中学校の理科でも核分裂は扱われていない。高校物理では原子核や核分裂は扱われているが、現状では高校物理は理系の学生の一部しか履修していない。結果として、市民の原子力発電や原発事故に関する知識は極めて低いと思われる。

大学では、文系の学生には科学リテラシーを高める教養教育は殆ど行われておらず、核分裂を学ぶ機会は皆無に近いと思われる。理系であっても、物理学などを履修しないかぎりは、核分裂や原子力発電の仕組みに関する知識は文系の学生と大差ないのが現状であろう。

23　『原発訴訟』p229

日本科学者会議のインターネットマガジンのＪＳＡｅマガジンＮｏ．16[24]に掲載された『初等・中等教育における原発・「放射能」教育の問題点とその克服』（小野英喜）によると、大学生の多くは「元素」「原子の構成粒子」「同位体」などの用語すら知らないことが、学習指導要領に原因があることが論考されている。小野氏が福島第一原発事故の一ヶ月後に複数の大学で行った学生約３００人に対する調査によると、文系学部では放射線を科学的に説明できる文系学生は０％、理系学部の学生でも５％、元素の種類で文系学部の学生が８％、理系学部の学生が11％しか正解していない。日本の原発の数を正しく答えられたのは、文系学生が８％、理系学生が９％となっている。

中学校の教科書教材では、平成10年改訂の中学校学習指導要領による教科書「理科１下」の「科学技術と人間」で、原子力エネルギーや原発の「長所と短所を考察させる」ことになっているが、教科書では、その短所を脚注のみで説明したり、全く触れたりしないものもある。殆どの教科書で原発の長所だけがクローズアップされており、ゆとり教育世代では「原子、原子の構造」「同位体、中性子」などの科学的な知識さえ割愛されてしまっていた。高等学校の理科教育では、学習指導要領で「物理Ⅱ」の「第４編　原子と原子核」で量子論や核分裂、原子炉、核融合などを学習でき

24　日本科学者会議　ＪＳＡｅマガジン『初等・中等教育における原発・「放射能」教育の問題点とその克服』小野英喜　http://www.jsa.gr.jp/04pub/booklet/2013090101_preface.html（２０１７．５．１）

るようになっているが、物理Ⅱを選択している高校生は15％ほどしかなく、この第4編は大学入試からも除外された「選択」のため、高校では全く学習しないケースが多い。高校化学では「原子の構造、同位体、質量数」など原子核反応を理解する基礎の知識が学習できるが、２００３年度以降は高校で化学を学んでいる生徒は60％程度しかないのが現状だ。現行の「物理基礎」では、エネルギーとその利用で多くの発電方法の一つとして原子力発電が挙げられるが、詳しいメカニズムには触れず、「化学基礎」では、従来の「化学Ⅰ」の内容を踏襲している。より詳しい内容は「物理」「化学」で触れるが、これは多くの場合は理系の学生のみが履修する科目となっている。

一方、国や電力会社は膨大な予算を使って原子力発電の啓発活動を実施している。学校には原子力発電の仕組みを教える副読本を無料で配布し、また原子力発電所の見学会やビジターセンターでの安全教育などを実施している。これらの副読本は日本の原子力発電の「安全性」を説明するもので、福島第一原子力発電所事故の放射能汚染の実態や、処理の収束の困難性などには触れておらず、「安全神話」の刷り込みといわれても仕方がない内容だ。

会社員や主婦、定年退職者などが地域で核分裂の仕組みを学ぶ機会は殆どないと思われる。福島第一原子力発電所の事故以降、原子力に関する基本知識を網羅した書籍がよく売れているが、[25] それは市民が正確な情報を求めているためだと推測される。

７．社会システム論を用いての情報過程の分析

私は、科学情報過程を考える際に、システム間のコミュニケーションという概念装置を用いている。図1は、パーソンズの社会システム論ＡＧＩＬ図式をベースに著者が作成した図である。社会システム論とは、社会の仕組みを各システムに分割して理解するものであり、パーソンズ以降は、システム論の批判的継承としてはルーマン、市民社会論ではハーバーマス、パットナムなどに引き継がれている。経済システム、政治システム、教育文化組織信託システム、議会・地域集団社会的コミュニティというのが、パーソンズの示したＡ適応、Ｇ目標達成、Ｉ統合、Ｌ潜在的パターン維持に対応したものとなっている。図2は、原子力発電に関する知と各システム間のコミュニケーションを考えるための図である。

25　日経新聞ホームページ（ベストセラー本ランキング）２０１１年６月のベストセラー第一位に『原発のウソ』小出裕章（扶桑社）、第二位に『原発大崩壊』武田邦彦（ベストセラーズ）がランクインしている。http://www.nikkei.com/article/DGXDZO31228150Y1A620C1NNK001/（２０１７．５．１）

図 1　AGIL 図式（著者作成）

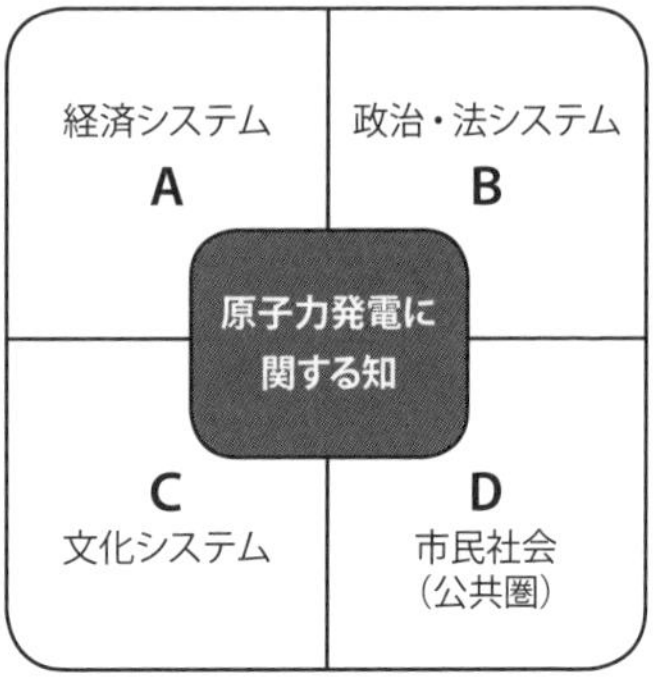

図 2　科学知をめぐる社会システムのモデル（筆者作成）

市民社会が原子力発電所の再起動や設置、最終処分場の選定に関して、何らかのコンセンサスを得るためには、正確な情報提供が不可欠である。そして、正確な情報を提供されるだけではなく、その情報の意味を理解できるだけの科学リテラシー、またそれでも難解な専門知識を分かりやすく説明する科学者の存在も不可欠であろう。そのような科学者に高木仁三郎氏は「市民科学者」という呼称を与えた。

先にも述べてきたが、市民社会が原子力発電所の再起動や設置、最終処分場の選定に関して政府や電力会社との話し合いに応じるためには、政府や電力会社が情報を隠蔽したり、歪めたりしないという信頼関係が成り立たなければならないことは言うまでもない。

しかしながら、現在までの日本の原子力行政は、このような信頼関係を成立させるようなものではなかった。逆に、住民の不安を煽り、反対派住民を差別したり、様々な嫌がらせをしたり、よく分からなかったり、原子力の危険性を理解・判断できない子供や老人などに、莫大なお金をかけて「安全神話」を刷り込んできた。また、膨大な費用を用いてテレビや新聞などでクリーンエネルギーとしての宣伝広告を行ったり、その際にマスコミの報道を間接的に操作したりしてきた。原発に反対するタレントをテレビの番組で使わないなどの圧力もかけられたという主張も、一部からはなされている。

また、原子力発電所の見学ツアーやビジターセンターなどに、地域住民を招待して手厚く接待し、原子力発電は安心であるという「安全神話」を醸成したり、学校に原子力の副読本を多量に無料で配布したりしてきた。それらの副読本や教材には、原子力発電の危険性に関しての記述はなく、いわゆる「安全神話」をなぞる形になっている。地域住民に不安を与えないようにという配慮なのかもしれないが、そのような一方的な情報ではなく、福島以降は、どのようなリスクがあるのかを、科学的な基盤に基づき分かりやすく、しかし公正に伝えるようなニュートラルな立場からの情報提供が求められるのだと思われる。

この論では、従来この国で繰り広げられてきたこのような不毛な情報過程を、どのように乗り越えられるのかについて提言を行いたい。

原子力発電の歴史でも概観したように、戦後、わが国では経済界と政府、つまり経済システムと政治・法システムが協力し、科学者たちとともに産官学協同で原子力発電を産業として育成してきた。戦後、自民党政治家の中曽根康弘氏が正力松太郎氏とともに、原子力行政というものを形作ってきた。国策となった原子力政策の中で、やがて「安全神話」や「原子力村」などが生み出されていった。そのような産官学のトライアングルは、様々な事故や故障などに際しても、自分達に不利になる情報は隠すという隠蔽体質を生み出していった。そして、莫大な補助金で過疎地に原発を作るという政治が行われ、反対派に嫌がらせをしたり、左翼と同一視して差別したりする（左翼であっても自由のはずだが）ことが頻繁に行われるようになった。また、55年体制下で、政治的戦略として社会党や共産党が反原発の立場を取ってきたのも事実である。

産学官の協同の中で推進される原子力発電所の建設を巡って、全国各地で裁判闘争が行われた。多くの裁判闘争は、旧来の左翼政党やまたは高木仁三郎氏も代表を務めた原子力情報室や有志の弁護団などが情報提供の役を担った。技術的な問題などは、東大出の科学者であった高木氏の専門的な知見が大きく役立ったことは誰もが認める事実だろう。多くの判決で、国と電力会社側が勝利し、反原発訴訟は敗訴に終わっている。しかし、裁判過程で多くの事実が明らかにされ、それを全国に伝えていくという意味で、裁判という過程を経たことの意味は大きかった。福島第一発電所事故以降では、差止訴訟で地裁での勝訴判決も出ている。政治・法システムへの市民社会の働きかけには一定の効果が認められる。

マスコミにおいても、反原発の情報は伝達されることが少なかった。特にテレビ局には、膨大な電力会社からの広告費が流れ込み、これが情報伝達を歪めたと言われている。新聞と違い広告料が収入であるテレビ局はスポンサーがなくては産業として成り立たず、原子力発電所を批判するようなニュース・ドキュメンタリー・番組を制作することは不可能に近い状態であったと言われている。その他のマスコミも、原子力の安全神話に切り込むことは少なかった。2016年に出版され、ベストセラーになった『原発プロパガンダ』（岩波新書）では、その広告主である電力会社が、マスコミを支配している現状を元電通社員が告発している。

つまり、文化システムの一翼を担うマスコミは経済システムとのコミュニケーションにより、情報を市民社会へ提供するという役割を歪められ、経済システムに支配される傾向が強かったことが分かる。また、福島第一原子力発電所の事故の際は、パニックを防ぐなどの理由で、記者クラブへの情報伝達が十分に行われず、国の非常事態の体制も整わず、マスコミ側も積極的に市民に隠された情報を伝達するという機能を果たさなかった。このような姿勢により、マスコミに対する市民の信頼は失墜した。放射能汚染を懸念する多くの市民は、自ら放射能を測定し、情報をネットに配信した。これらの草の根ジャーナリズムのほうが、マスコミより信頼できると考える市民も増えてしまったのではないだろうか。草の根ジャーナリズムというと聞こえはいいが、中には信頼できない風評被害に類する情報も含まれており、メディアリテラシーの必要性が強く感じられる。

事故後の原子力発電所の処理が遅れる中、福島復興支援のムーブメントが官民挙げて高められた。人気歌手や芸能人も福島復興を支援して活動を行った。多くの市民がボランティアに駆けつけた。それは、素晴らしいことだと思われるが、第一原子力発電所の処理方法さえ決まらないという深刻な事態を忘れさせる効果も生まれた可能性がある。そして、放射能汚染によって故郷を奪われた多くの被災地が全国に移り住む中、学校で被災者の子どもたちがいじめに遭っていたことが報道された。ある子供はクラスで「菌」などと呼ばれいじめの対象となった。これは放射能から連想する呼称の可能性もある。放射能汚染について、正確な情報を伝えてこなかったからこそ、このような学校教育の現場でのいじめが発生するのではないだろうか。

8. 科学情報過程論

未だ事故の福島第一原発事故の原因が不明なままで、国は運転を停止している原子力発電所の再稼動を刻一刻と進めている。廃炉の際の、放射性廃棄物の最終処分地も決定していない。裁判に関しても新基準を科学的に合理性のあるものとして、運転差し止めなどの仮処分を出した地裁レベルの判決を高裁では否定する傾向が強まっている。まるで福島第一原子力発電所の事故など、なかったかのようにである。想定外の災害が襲ったという事実は、どのような安全基準があれば無化できるのだろうか。しかし、起きてしまった事故は取り戻せず、失われた信頼関係はすぐには回復できないだろう。福島第一原子力発電所の最終処分は、まだ数十年もかかると言われ、日本国民は放射能汚染と直面しながらの生活を余儀無くされることは間違いない。市民社会が法・政治システムとのコミュニケーションにおいて、自分達の「人格権」を守ろうとする試みは続くだろうが、もともと経済システムと法・政治システムと「原子力村」の産官学の癒合により推進されてきた原子力行政を市民社会がコントロールすることは難しいだろう。選挙を通じて国会に原子力発電の見直しについて見識のある議員を選ぼうとしても、野党第一党であった民主党の福島第一原子力発電所の際の体たらくを目の当たりにしてきた国民は、政権野党支持する気持ちにはなりにくいだろう。

では、どうすればいいのだろうか。政府は原子力発電を推進したいので、教育では原子力発電の危険性については正確に教えるとは思えない。しかし、市民社会の利益のためには、小学校や中学校の義務教育時からの原子力についての正しい知識の教育が不可欠であると思われる。電力会社が莫大な経費をかけて実施しているような「原子力＝安全」という神話の刷りこみではなく、原子力というものは広島・長崎に落とされた原子爆弾と裏腹の関係にあり、放射能というのは危険なものであるという科学的な事実をまずは教える必要性があるだろう。そのためには、文部科学省の学習指導要領を市民社会がチェックするようなプロセスが不可欠だろう。

ヨーロッパでも、原子力発電を廃止したドイツのような国や、原子力を主要な発電源としているフランスのような国が存在する。原子力発電に関しては、科学的に安全か専門家がお墨付きを与えること＝稼動可というのではなく、市民がどのような原子力政策を求めるのか、正確な情報を提供された上で、民主的に判断するような、民主主義により政策を決定するための判断材料になるニュートラルな情報過程が求められるのではないか。

そのためには、科学者が参加し科学的チェックがなされている「社会と科学」のような副読本を市民社会が作成したり、ＮＰＯなどが市民講座を開催したりするような試みもありえるだろう。また、マスコミでも朝日新聞社のように原子力発電と日本の社会についての連載記事「プロメテウスの罠」のような調査報道もなされ反響を呼んだ。産官学の癒合である従来のコミュニケーションではなく、市民社会と教育・文化システム、市民社会と法・政治システム、市民社会と経済システム、市民社会と専門知のコミュニケーション回路を確保していくべきだろう。

市民社会の情報過程について、図3のように整理した。

市民には知識が欠如しているので、科学的な知識を補えば賛成に転ずるという欠如モデル（これは左下の象限から右上の象限への矢印に代表される移動である）や、原発は安全なのだから、市民には単に安全神話を刷り込めばいい（左下から左上への矢印に代表される移動である）という象限は情報過程から見て欠陥があると思われる。原発を推進するべきだと考えるにしても、脱原発に向かうべきだと考えるにしても、考える材料がしっかりと市民社会に供給されている必要があるだろう。

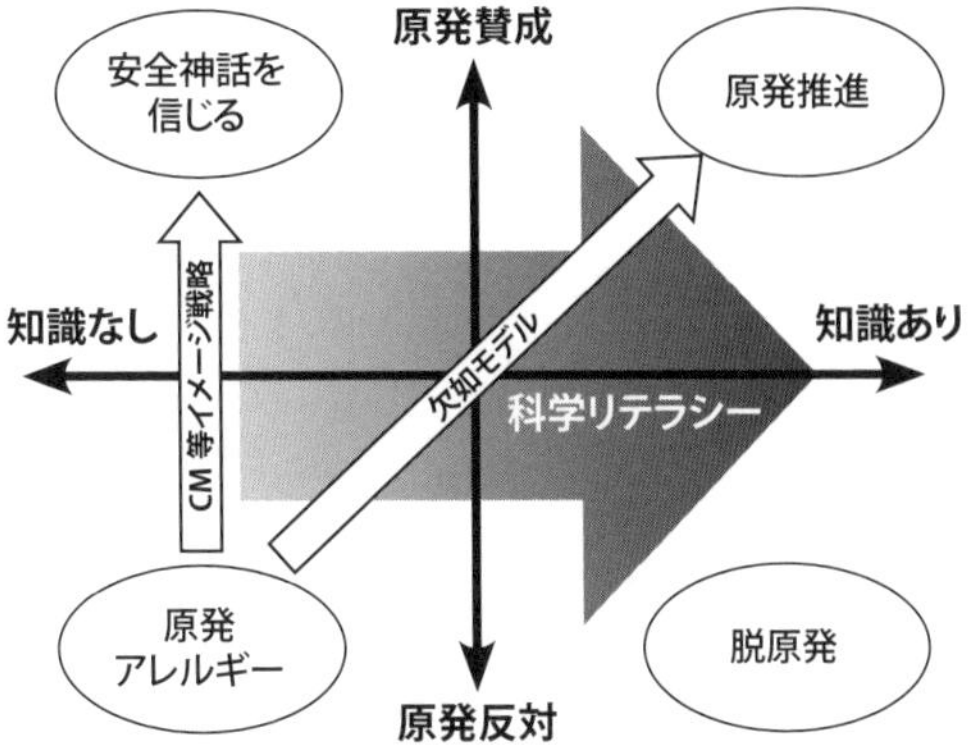

図３　市民社会の情報過程

このような原発に関する情報を科学リテラシーとして供給し、市民社会全体が左象限から右象限に向かうような、そのような情報提供が望ましいのではないのだろうか。この大きな矢印を担うのが、教育やメディアであり、ＮＰＯなどの情報ネットワークも大きな役割を果たしていくだろう。

そして、他の社会システムとのコミュニケーションを促進する方法、いわば社会リテラシーも向上させる必要があるだろう。あるときは消費者として市場に向き合い、ある時は法的措置も選択できる。そのような、市民社会を志向する必要性がある。

欧州のように地震がない陸地と違い、日本列島は環太平洋火山帯に位置し、大陸プレートへ海洋プレートのもぐりこみが起きている地震の巣であり、国内にも活断層が無数に存在している。民主主義の前提は、正確な情報の提供にある。市民として情報がしっかりと提供される社会で、民主的に科学技術の活用を、あるいは非活用を決めていく必要がある。そしてそのような決定の義務と責任は、国や電力会社が担うのではなく、市民社会こそが担っていくべきだという民主主義教育を行っていく必要性が高いのではないだろうか。

9．まとめ

原子力発電に関する情報過程を概観してきたが、情報量としては毎日テレビＣＭとして流れる原子力発電の安全神話のように、圧倒的に資金力を背景とした国民への「安全神話」のイメージ的注入が多い印象だ。原子力発電を推進するとしても、脱原発に向かうにしても、イメージではなく、正確な知識を背景とした市民の意思形成が不可欠だろう。国や電力会社やマスメディアが「安全神話」、市民はネットや書籍などで、草の根の情報網を使用して、事故や汚染などに関する「原発アレルギー」や「脱原発」につながる情報を獲得しているのが現状だが、そのような情報流通の偏在自体が、情報化が伸展した現代市民社会において、正常な状態ではないのではないだろうか。

情報過程の偏りを是正した上で、その情報をいかに生かして民主的な意思決定を行うのか極めて重要な課題であるが、併せてそのような意思決定を行うための教育・教養もまた今、必要とされていることが理解できた。

第2章　ＩＴ技術革新と科学情報過程論

1．はじめに

インターネットは猛烈なスピードで発展し、社会に大きな影響を与えて続けている。ネットワークは拡大され続けＷＷＷを生み、産業を変え、社会を変え、現代人の生活を根底から変容させた。軍事技術が民生化され、国家や産業だけでなく、市民社会もＳＮＳをはじめＩＴを活用している。市民社会向けには、メディアリテラシーなど賢くインターネットと付き合う方法の必要性が訴えられているが、小売の低迷、デジタル・ディバイド、サイバー犯罪、プライバシーの侵害、青少年のゲーム中毒など、ＩＴ社会は多くの問題を抱えている。

ＧＡＦＡを代表とするＩＴ巨大企業が、クラウドやビッグデータなど国家を超えた技術と資金力で開発を推進し、法規制は後追いであり、ビジネスや個人の生活が大きく左右される状況にある。このような中で、ＩＴ社会のあり方に対して、政府と研究者の協力で、国内でも法整備が急がれてきた。国は多くのＩＴ戦略を立案、実行して産業情報化や電子政府を推進してきた。しかしながら、ＩＴ社会のデザインに関して、市民社会の側から、ただサービスを利用するだけでなくて、能動的な働きかけが不可欠だと思われる。ＯＳやアプリケーションなどのオープンソースの動きもあり、市民社会の自律性が皆無とは言えないが、ビッグデータや、ＩｏＴ、ＡＩなど一層の拡大により、市民社会はインターネット社会により一層巻き込まれていくことは明らかである。

この論文では、ＩＴ社会の変容に対し、社会の諸システムはどのように相互作用するか分析し、特に市民社会の他システムへの働きかけがどうあるべきなのか、ＩＴ社会とはいかにあるべきなのかを提示する。平成28年度版の情報通信白書によると、日本のインターネット利用人口は２０１５年度で約1億46万人、国民10人のうち８人以上がインターネットを利用していることになる。世界では、２０１５年に32億1千万人だったものが、２０１６年では約34億９千万人と爆発的に増加している。[26]パソコンなしでもスマートフォンやタブレットでインターネットに接続できるようになり、インターネットは世界中の誰にでも開かれた情報ネットワークとなっている。ＩｏＴの推進で、市民の生活は一層インターネットに影響されるようになり、ビッグデータやクラウドの利用で、社会がまた大きく変容することが予見されている。そのような変化を市民社会はただ受容するしかないのだろうか。この論文では、社会システム論を援用し、各システムへの情報化の影響を分析し、市民社会の情報化社会への関わり方はどうあるべきなのか、システムの頑健さ（Ｒｏｂｕｓｔ）にも着目しながら探っていきたい。

26　情報通信白書 forkids　http://www.soumu.go.jp/joho_tsusin/kids/internet/statistics/internet_01.html（２０１７・８・29）

2. ＩＴの歴史

パソコン通信に端を発するインターネットは、経済・産業・文化など文明を変えるほどのインパクトをもたらした。１９５０年頃には、遠隔地のコンピュータ同士でのパソコン通信などは行われていたが、インターネットの基本技術であるパケット通信の研究は１９６０年代から始まった。アメリカの国防総省の高等研究計画局（ＡＲＰＡ）が東西冷戦下で一部を破壊されても残りで動けるコンピュータシステムの開発に着手した。まさに頑健さ（Ｒｏｂｕｓｔ）を高めるための研究であった。１９６９年、アメリカ国内の大学と研究所にある4台のコンピュータを電話回線で結ぶＡＲＰＡＮＥＴ[27]が開発され、これがインターネットの事実上の始まりになった。[28]イギリス国立物理研究所のＭａｒｋ－Ｉなどのパケット交換ネットワークが、60年代末から70年代初めに開発された。ＡＲＰＡＮＥＴは、複数のネットワーク相互に接続してネットワークを構築するための「プロトコル」（通信規約）開発に乗り出した。これは、アメリカ人の電子計算機学者ビント・サーフが、インターネット上でコンピュータ同士が通信する際に使う決まりごと「プロトコル」を考え出したことに由来する。

27　Advanced research projects agency network の略

28　ＮＥＣホームページ（ＩＴの歴史）http://jpn.nec.com/kotohajime/meet03.html（２０１７．７．３）

インターネット・プロトコル（ＴＣＰ／ＩＰ）が１９８２年に標準化され、このプロトコルを採用したネットワーク群を世界規模で相互接続するインターネットが創出された。ＡＲＡＰＡＮＥＴの接続は、ＣＳＮＥＴ[29]開発時に拡張され、ＮＳＦＮＥＴ[30]が全米各地の研究教育機関から複数のスーパーコンピュータへの接続を提供した際にも拡張された。営利目的のインターネットサービスプロバイダが80年代から90年代に出現し、１９８９年にＣＥＲＮのＢｅｒｎｅｒｓ－ＬｅｅによってＷＷＷが開発され、インターネットは世界中の人が利用するようになった。ネットワーク化の一環として無線利用が進み、スマートフォンもインターネットに接続可能になり、無線ＬＡＮやＷｉ－Ｆｉも整備され、端末さえあれば常時接続が可能になり、まさに高度情報化社会、ユビキタスコンピューティング社会が到来したといっても過言ではない。

技術的な歴史は以上の通りだが、政策的な歴史についても述べたい。広域帯ネットワークは、アル・ゴアがアメリカ副大統領時代に提唱した「情報スーパーハイウェイ構想」に端を発する。情報スーパーハイウェイ構想は、「２０１５年までの全米の課程に光ファイバーを敷設し、全国規模の情報ネットワークを整備する」という内容だった。情報ハイウェイは、全米情報基盤構想（ＮＩＩ）の一環を

29　Computer science network の略
30　National science foundation network の略

なすもので、政府規制を見直し、標準化を進め、電話網とケーブルテレビ、インターネット網からなるシームレスの双方向の情報網を作るというもので、そのための公共投資、民間投資を促進するというものだった。94年に開かれた情報スーパーハイウェイ・サミットで情報産業がこれからの花形産業になり、アメリカがその盟主になるという意図があった。規制緩和により、電話会社とケーブルテレビ会社の相互乗り入れが可能になったために、ネットワークは急速に整備された。日本では、旧郵政省が94年に情報通信基盤整備プログラムをまとめて発表した。これは、２０１０年までに全ての家庭とオフィスを光ファイバー網で結ぶというものだった。アメリカには好況が訪れ、もはや不況に陥らない経済成長が続くニューエコノミーが到来したなどと喧伝された。

インターネットのビジネスへの活用は、ＤＳＳ（データ・セキュリティ・スタンダード）から発展したＳＩＳ（ストラジェディック・インフォメーション・サービス）と呼ばれる経営に情報を戦略的に駆使するというものに進化した。情報化の進展により、ＰＯＳなどからオンラインで情報をリアルタイムで処理できるようになった。ＢＰＲ（ビジネス・プロセス・リエンジニアリング）は、90年代の日本で注目を集めた業務の最適化の手法である。ＳＣＭ（サプライ・チェーン・マネジメント）は、製品企画から部品・原材料の調達、生産、流通、販売に至るまでのプロセスを、情報を駆使し、合理化しつつ情報化しようというものであり、経済界に甚大な影響を与えた。ＣＲＭ（カスタマー・リレーションシップ・マネジメント）という顧客情報を生かした経営手法もメジャーになっている。そして、ＩＢＭが97年にｅビジネスという概念を提唱した。ｅビジネスとは、インターネットやコンピュータネットワークをインフラとして、顧客や企業との商取引をオンラインで行う電子商取引や株主などへの情報提供、マーケティング活動への応用など、ネットワークベースで行われる企業活動の総称である。

ｅビジネスの由来を電子データ交換の規格であるＥＤＩ（エレクトリック・データ・インターチェンジ）に見ることもできる。これは、受発注や決済などをコンピュータネットワークで電子的にやりとりするもので、80年代半ば以降に大企業を中心に広がった。これは、インターネットに比べて安全なＶＡＮを通じて行われてきた。ＳＣＭにＥＤＩを利用している企業も多かった。ＣＡＬＳ（キャルス）は、コンピュータとネットワークデータベースを組合せ、製造管理の工程を一元管理するシステムの総称であり、80年代に使われた総合情報システムである。

93年のイリノイ大学のＮＣＳＡ（米国立スーパーコンピュータ応用研究所）というグループがモザイクというウェブブラウザーを開発した頃からインターネットは爆発的に広がった。やがて、ウインドウズなどの開発によって多くのユーザーがコンピュータを身近なものとして捕らえるようになり、ＢｔｏＢ、ＢｔｏＣのビジネスが盛んになっていった。ここに検索を行うＧｏｏｇｌｅなどの企業が参入し、日本では楽天などのようなポータルサイトも登場した。ＦａｃｅｂｏｏｋなどＳＮＳサービスも普及し、マイクロソフトの一人勝ちと見られたＩＴ業界が様変わりし、現在に至っている。クラウドなどの新しい動きも見られ、もはやＩＴなくしてビジネスは語れない時代となっている。

株式市場もオンライン化し、グローバル金融が情報化と結びついて動き始め、国家を超えた情報と金の流れが、アジア通貨危機やサブプライムローンの引き金となったことは記憶に新しい。『ヘッジファンド―世紀末の妖怪』（文春新書）によると、ヘッジファンドを初めとする金融機関は、次のターゲットを狙い続けている。ＩＴと情報が、一国経済を超えた金の流れを演出していく時代の到来だ。ビッグデータ、ＩｏＴ、ＡＩとＡｍａｚｏｎ、Ｇｏｏｇｌｅ、ＭｉｃｒｏｓｏｆｔなどのＩＴの巨人たちは、一国経済を凌駕し、次世代の新しいビジネス空間の覇者たらんとしている。

3. ＩＴの社会へのインパクト

私は、科学情報過程を考える際に、システム間のコミュニケーションという概念装置を用いている。図1は、パーソンズの社会システム論ＡＧＩＬ図式をベースに著者が作成した図である。図2はＩＴと各システム間のコミュニケーションを考えるための図である。情報化社会論は多いが、多くは技術決定論か、情報化による産業構造の変容、市民社会の変化を記述したものである。そして、具体的な分析無くして文明論などの大きな枠組みを提示するものが多い。先行研究のような弊害を除くために、まずはＩＴが社会をどう変えたのかを記述してみたい。

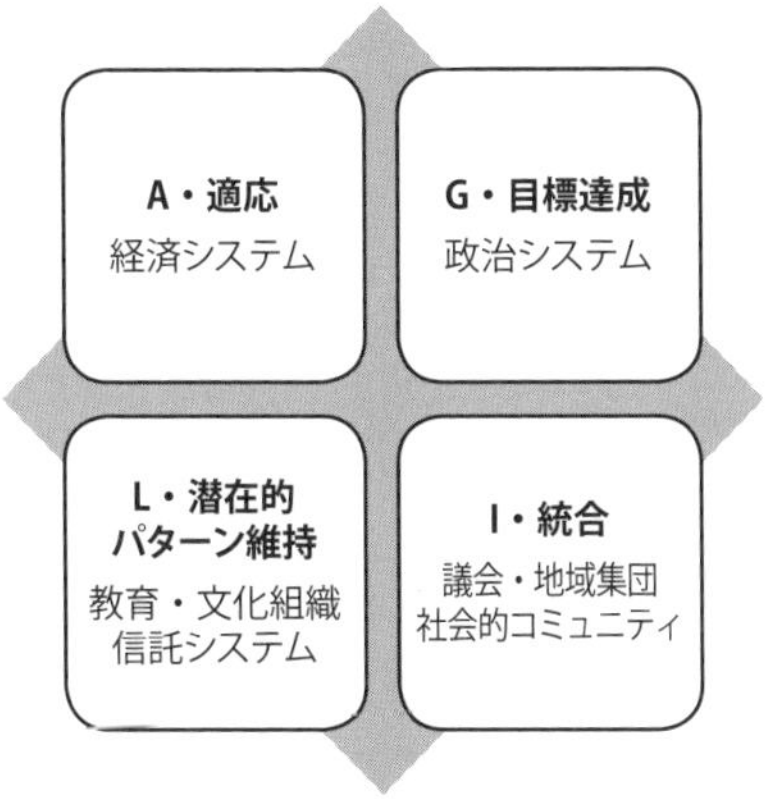

図１　AGIL 図式（著者作成）

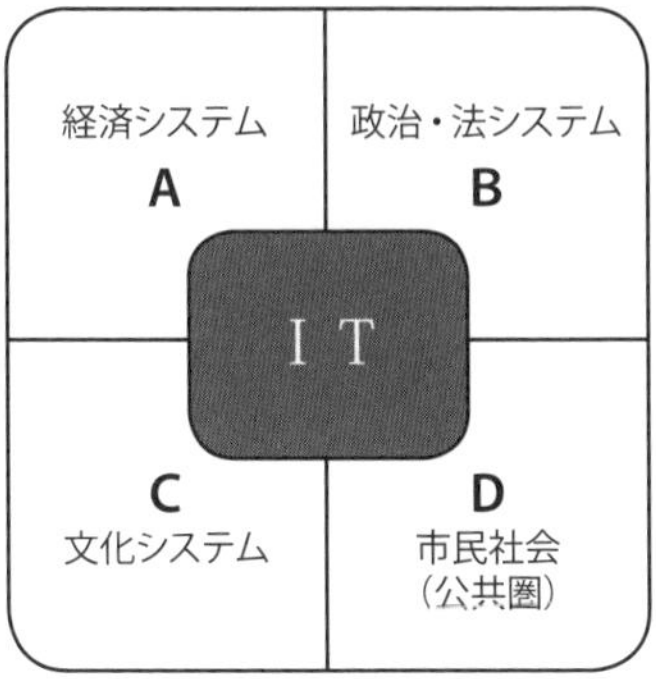

図２　ITをめぐる社会システムのモデル（筆者作成）

科学技術は、一般的に経済システム、法・政治システム、文化システム、市民社会の各システムとのコミュニケーションによって、各システムが変容する。そして、各システムの変容は、システム間のコミュニケーションによって、他のシステムを変容させていく。しかし、他の科学技術とＩＴの違いは、その情報過程そのものに大変革をもたらしたことにある。経済システムと市民社会の関係は、ネットビジネスで大きく変容し、政治システムは日本であれば電子政府であるｅ－Ｊａｐａｎ構想[31]や、高齢化をＩＴ技術で乗り切るスマートプラチナ社会構想[32]など大きくＩ

31　首相官邸ホームページ（ｅ－ジャパン戦略）http://www.kantei.go.jp/jp/singi/it2/dai1/0122summary_j.html（２０１７．８．31）

32　総務省ホームページ（スマートプラチナ構想）http://www.soumu.go.jp/menu_news/s-news/01ryutsu02_02000069.html（２０１７．８．31）

T技術に依存している。教育・文化にしても、ITの情報過程が新しい情報文化を生み出し、それに影響されて文化が生まれるなど大きなインパクトがある。教育産業にしても、スカイプやオンライン大学のJMOOC[33]、サイバー大学院など、オンラインで講義やゼミを提供できるスタイルが増えており、大変化の途上である。大学では、講義をオンラインで中継したり、学生がサイバー空間で講義のデータベースにアクセスできたりするような仕組みを作るケースが増えてきている。

情報過程の基盤そのものがITにより変容しているとはいえ、このような分析装置を用いることで、従来の産学協同モデルではなく、市民社会が自律性を持って、IT社会を創出する道筋を示したい。そして、そのような自律性の高い社会は、市民が長期にわたり安定して経済的にも、社会的にも、生活していける、いわゆるレジリエンスも高い社会であると思われる。本論文では市民社会が構造的な変化により、混乱を来たさず、逆により自律性や利便性を増すことができるようなシステムとしての社会の頑健さ（レジリエンス）を高めることへの親和性についても考察したい。

まずは、インターネットが経済システムに及ぼした変化について分析したい。従来の製造・卸、小売という分業ではなく、原料調達から製造・販売に至るまでの情報をネットワークで管理・分析そして調整することにより、ビジネスは大きく変容した。地域の商店街などの小売は衰退したが、大

33　JMOOCホームページ https://www.jmooc.jp/（2017.8.31）

型店やチェーン店を中心としたパラダイムに経済システムがシフトする中で、インターネットショッピングが追い討ちをかけたと思われる。顧客情報や販売状況もＰＯＳシステムなどでビッグデータ化し、分析されるようになった。販売戦略や経営戦略にもＩＴが活用され、経理などにも多種多様なソフトが開発され、業務が合理化・効率化され、ＣＩＯ（Chief information officer）が置かれる企業も増えた。自前のシステムを構築しなくても、ソフトを買い換えなくても、クラウドソーシングを利用できるなどと一層の経費削減が図られるようになった。この変化が、地域商店街の衰退を促進したと思われる。

法・政治システムも動き出した。70年代以降、大量の個人情報を企業が保持するようになった。欧州各国とアメリカでは個人情報保護法が整備された。80年にＯＥＣＤは、各国の個人情報保護レベルを一定にするためのガイドラインを策定、この際にＯＥＣＤ８原則[34]と呼ばれる個人情報取り扱いの原則を定めた。

95年になると、欧州会議は、「個人データ処理に係る個人情報保護及び当該データの自由な移動に関する欧州議会及び理事会の指令」を発令、世界各国が対応に迫られた。２００１年にアメリカ

34　首相官邸ホームページ（ＯＥＣＤ８原則）http://www.kantei.go.jp/jp/it/privacy/houseika/hourituan/pdfs/03.pdf#search=%27oecd8%E5%8E%9F%E5%89%87%E3%81%A8%E3%81%AF%27（２０１７．８．31）

は、この指令に対応するためのＳａｆｅ—Ｈａｒｂｏｒ原則[35]をＥＵと合意、２００４年に日本でも個人情報保護法を制定、全面施行した。その他、通信や知的財産保護などいわゆる情報法の整備が急ピッチで進められることになる。電子政府という上からの方向で情報化を進行させようとしたが、個人情報の流出の懸念から、マイナンバー制度などは浸透せず、電子政府のレジリエンス（Ｒｏｂｕｓｔ）は不安が残る状態だ。

また、選挙運動も大きく変容[36]した。選挙運動でインターネットの使用が許可されるようになり、各陣営、各候補がホームページを開設して、自身の活動やマニフェストを公開するようになった。しかし、国民が選挙に強い関心を持つようになるための手段としては、ネット選挙も十分役割を果たしてはいないのが現状だ。

文化システムでは、大きな変化は、インターネットの上にホームページなどを個人が開設することが容易となりマスメディアなどの送り手の一方的だった情報過程が、双方向型に変化したことが挙げられる。これにより、様々な情報がインターネット上を行きかうようになった。広告収入が激減し

35　個人情報保護法対策室（Ｓａｆｅ—Ｈａｒｂｏｒ原則）http://www.nec-nexs.com/privacy/about/background.html（２０１７．８．３１）

36　総務省ホームページ（選挙運動へのインターネット解禁）http://www.soumu.go.jp/main_content/000225176.pdf（２０１７．８．３１）

た新聞やテレビなどのかつてのマスメディアの影響力は幾分弱まり、個人は私企業やあるいは個人のホームページなどから無料で情報を得ることができるようになった。そして、インターネット上で大容量の画像の受送信が容易になると、動画サイトなどが活性化し、多くの情報が投稿されるようになった。

また、インターネットに常時接続されている若者達は、新聞[37]だけでなく書籍も読まなくなり、電子書籍化もあり、紙媒体の書籍の売り上げは年々減少の一途を辿っている。音楽業界も変容し、CDを購入せずに気に入った曲をダウンロードする若者が増えたために、音楽メーカーの売り上げも落ち込むなどの現象が生じている。メディア産業の復元力は低下傾向にある。メディア論で、世論の決定に貢献していた新聞などの従来のマスメディアの影響力が弱まっているのに対し、インターネットのニュースはかつてのマスメディアの持っていたクオリティを維持しているとは言いがたい。

日本の教育においては、２００３年度に高校学校に情報という科目が新設され、インターネットの仕組みや、メールの送受信、各種ソフトの使い方などを実技も含めて教えるようになった。情報科は何度も再編され、より情報科社会への適応を図る内容になってきている。デジタル・ディバイド

37　ネットリサーチ　ティムスドライブ（新聞に関するアンケート）http://biz-journal.jp/2013/10/post_3071.html（２０１７.８.31）

の存在がクローズアップされ、情報リテラシーの必要性が強調されるようになった。総務省は、ＩＣＴを使った教育の旗振り役になっており、[38] 自治体予算による学校へのインフラ導入で、文部科学省の学習指導要領の理念の早期の実現化を図ろうとしている。また文部科学省は、新指導要領では２０２０年から小学校からプログラミングの授業[39]を行う方針を示している。

市民社会の変容も大きいものがある。日々のニュースをＹａｈｏｏ！やＧｏｏｇｌｅなどで無料検索、メールのやりとり、携帯やスマホでの情報のやりとり、閲覧などが日常になった。子供がネットで有害な情報に晒される危険性も増し、オンラインゲーム中毒や、オンラインゲームで多額の課金をされるなどの問題も増えた。フィルタリングなどのサービスで小中学生が有害サイトに接続されないような工夫もあるが、限界もある。オンラインショッピングで買い物は多様なサービスを容易に利用できるようになり、Ａｍａｚｏｎなどで購入した商品を宅急便で自宅まで配達してもらうサービスが利用されるようになった。個人で商品を販売するケースも増えた。

ＳＮＳが普及し、ＦａｃｅｂｏｏｋやＬＩＮＥなどで従来はなかった広範囲の交遊が可能になり、

38　総務省ホームページ（スマートスクール推進事業）http://www.soumu.go.jp/main_sosiki/joho_tsusin/kyouiku_joho-ka/smart.html（２０１７．８．31）

39　総務省（２０２０年小学校プログラミング必修化どう準備するか）http:// www.soumu.go.jp/main_content/000464776.pdf（２０１７．８．31）

イベントを主催したり、アイディアを共有したりすることも容易となった。サイバー犯罪も増えたが、ビジネスチャンスや交流の幅は大きくなった。しかし、個人情報をネットに晒すリスクが認識され始め、Ｆａｃｅｂｏｏｋ、Ｔｗｉｔｔｅｒなどは若者が利用しない傾向[40]まで出ている。情報化の進展は進んだが、特に進んだのはビジネスと結びついたシステムであり、市民社会は消費者としての属性を利用されているだけの傾向が強く、経済システムと市民社会の間のコミュニケーションに、情報化は活用されてきている。

4．情報社会論のこれまで

日本の情報社会論は、思想家の梅棹忠夫が１９６３年に発表した情報産業論が出発点になっている。情報インフラの発達とともに、情報化の動きは地域情報化へと向かった。これは情報化が新たな地域コミュニティを形成するという期待によるものだった。しかし、結局は、産業・経済の情報化へと特化していった。梅棹は、人間の歴史は、「農業生産」（第一次産業）から「工業生産」（第二次

40　ビジネスジャーナル（就活でＦＢ使用、なぜ広がらない）http://biz-journal.jp/2013/10/post_3071.html（２０１７．８．31）

産業）、そして「情報生産」（第三次産業）という道筋を辿ると考えていた。彼は文明を「人間を取り巻く装置系と制度系、それと人間がつくるシステム」と定義していた。装置系には、情報通信や交通なども含むインフラ、制度系とは装置系を運営するソフト、法律や言語を指していた。

その後の情報社会論も2つの系譜に分かれ、一つは技術決定論という側面を持つもの、つまり、社会というのはインフラによって変貌をとげ、その変化は常に技術の革新とともに訪れるというものである。もう一つは、民主化や経済的な背景などの社会的な構造が変化の主因であり、科学技術は副次的な要因でしかないという社会科学的なアプローチである。

しかし、本格的な情報社会論は１９７０年代にアメリカで活発に議論された。73年にはダニエル・ベルが『脱工業化社会』を出版し反響を呼んだ。彼の脱工業化社会とは、経済活動の中心が製造業から高度情報サービス業などに移行し、知識階級と呼ばれる専門・技術職層の役割が大きくなるというものだった。未来学者のアルビン・トフラーはこれを「第三の波」と名づけて、未来論ではあるが現在の情報社会論のさきがけのような役割を果たした。

国内では、１９７０年代には、地域情報化などの動きが多数の省庁の主導で動き始めていたが、当時の情報インフラは高価で、利用しにくかったこともあり、大きなうねりになることはなかった。日本で社会情報化が本格的になるのは１９９０年代のインターネットの普及まで待たねばならない。日本で情報社会論として注目を集めたものに、金子郁容のネットワーキングという概念がある。これは、インターネットにより人間の関係性が変化するというものであった。従来の社会は、地縁血縁の狭い社会であったが、都市化によってばらばらな核家族または個人化が進んだ。ここにインターネットや携帯電話などが登場したというものだ。彼は、ネットワーキングの例として、ボランティアを挙げた。従来のネットワークというものは、ビジネスと関係の深いものばかりだった。だが、阪神大震災の際のボランティアのネットワークは、金銭利益で人が動いたのではなかった。避難所などで困っている被災者がいて、それを助けたいボランティアがいて、様々な絆が生まれていった。『ボランティア―もう一つの情報社会』（岩波新書）で様々な例が挙げられているが、これが資本主義社会を根底から変えていくだけの可能性を持つ新しい現象ではないか、と金子は考えた。

ＩＴ社会論が発展する中で、文明批評家のマーシャル・マクルーハンの再評価も生じた。バーチャルリアリティ（ＶＲ）などの開発も進み、人類のリアルな世界認識が変容するとされ、ＭＩＴのメディアラボなどがウエアラブルコンピュータや、ＶＲの研究に乗り出した。現在では、ポケモンＧｏのように、リアル社会とＶＲの融合（ＡＲ）を大人から子供までゲームアプリをダウンロードして楽しむようになっており、情報社会論の学者たちが予見した未来を超えた現象が生じているようでもある。

ウェブ利用については、梅田望夫の『ウェブ進化論』（ちくま新書）がベストセラーになり、インターネットを生まれた時から使っている若い世代の、新しいメディア論として注目を集めた。以降、インターネットやウェブ社会論的な書物が多数出版された。元東大教授でＩＴ社会の虚像を暴くスターだった西垣の集合知に関する著作物は、市民社会のＩＴ化への能動的な関与を分析したものである。濱田[41]や須藤[42]らが、国家や法による情報化を一貫して論じており、「日本インターネットの父」と呼ばれる村井[43]が教鞭を執る慶応大学ＳＦＣが国家や産業の情報化の旗手であったことを併せ見ると、インターネットを専門領域としてきた学者たちは、市民社会とＩＴとの遭遇の最良の組合せを考えていたとも言える。

これらの情報社会論は、コンピュータ、インターネットなどのインフラが、社会のあり方、経済のあり方、そして文化、文明のあり方をどう変えていくのかという未来論の一種であるとも考えられる。彼らの研究は情報化社会の変化に対応した、新しい研究領域現在を切り開いてきた。彼らは、国家や産業など経済システム、法・政治システムなど市民社会のいわば上位のシステムの情報化への対応を研究対象としてステータスを築いてきた。対して、西垣は集合知など、市民社会をはじめとした諸システムが相互作用により、市民社会のアクティビティを向上させる方向を論考しており、このようなＩＴ論をより深めていく必要性が重要だと思われる。

41　前東京大学総長。現在は放送倫理・番組向上機構理事長。専門はメディア法、情報法、情報政策。法学博士。
42　東京大学大学院情報学環教授。専門は社会情報学、医療情報学、情報経済論。
43　慶應義塾大学環境情報学部長兼慶應義塾大学環境情報学部教授

5. システム間のコミュニケーションの視点から

多くの場所でインターネット、スマートフォンなどの情報の端末からＷＷＷに常時接続可能になった日本社会ではあるが、市民社会の姿はどのように進化したのだろうか。確かにネットでの買い物は便利になったし、様々な情報は一瞬にして入手できるようになった。自分の情報も発信できるし、知り合いの情報も双方向受信でコミュニケーションが円滑になった。パーソナルなコミュニケーションを超えてインターネットが社会変革をもたらすという理想が、世界的なベストセラーである『Here Comes Everybody：The Power of Organizing Without Organizations』などの著作で示され、アラブの春など現実に政治変革も起きたが、市民社会の政治システムへのコミュニケーション力を本当にＩＴは増大させたのだろうか。未だ、日本では経済システムと市民社会のコミュニケーションのみが、インターネットショッピングに例を見るように、活性化しているようにも見える。

ＩＴのメリットも大きいことは明らかだが、経済システムは、文化システムのマスコミや、法・政治システムによる法制度やインフラなどの整備を行わせ、市民社会を常時、販売広告情報に晒すのがインターネット空間という批判的な見方もできると思う。若者のゲーム中毒やネット犯罪、児童ポルノや裏サイトなど、デメリットも存在している。今必要なのは、市民社会がインターネット空間を民主化や多様性の実現など、自らの持つ目標を実現するために自律的に利用することであると思われる。そして、自律性を向上させるためには、文化システムが大きな役割を果たすと考えられる。まずは、教育においてメディアリテラシーの一環として、インターネットを通じた政治参加や、あるいは消費者運動、福祉や環境問題などへの参画など、市民活動をどう活性化するかを学び、民主社会の維持、向上のための一助としていく。そして、市民が世界中の大学や研究機関などでオンライン学習が可能になり、市民社会の知的なレベルが上昇し、結果的に自律性が増していく。市民社会が経済システムに巻き込まれていく現象を、ハーバーマスは市民社会の植民地化と呼ぶ。今、必要なのは脱植民地化の動きなのではないだろうか。

そして、マスメディアは、市民社会に情報化の現状と課題をレポートし続け、産業サイドの動きに市民が自覚的になれるように情報提供を行う。経済システムからの自律性を高めるために、従来の広告収入に頼るビジネスモデルを変革する必要も出てくるだろう。メディアや教育などの働きにより、メディアリテラシーを身につけた市民が、ＩＴ空間を自律的に健全なものに保ち、市民社会の頑強さ（レジシエンス）を高めていく、そのような可能性が信じられる社会を築いていく必要性もあるだろう。

従来、市民が起業したり、何かプロジェクトを組織して実行する場合は、金融機関の融資を受けたり、株式会社を作ったり資金を集めなければならなかった。クラウドファンディングなど面白い企画があれば、ネットで企業や市民から資金を集めることができるようになった。インターネットを利用することで、市民社会が経済システムと主体的にコミュニケーションが取れるようになってきたのだ。

市民社会が軸となって、社会の諸システムの多様なコミュニケーションにより、目標とする様々な情報化による諸リスクからフリーな、より頑健（Ｒｏｂｕｓｔ）でレジリエンスの高い世界に近づいていく、そのような情報社会の到来が求められている。

６．新しい情報化の時代へ

しかし、経済システムは、社会の諸システムの情報をビッグデータとして蓄積し、より効果的・効率的な未来のビジネスを作り出そうとしている。その動きとＡＩ技術が結びつくことで、情報化は次のステージに到達するだろう。グローバルＩＴ企業が、その技術を独占し、世界のビジネスを支配しようと動いている。このような大企業は、率先して情報を公開し、市民との話し合いを行うインセンティブを提案していく必要性が高い。

国際的には、電子商取引、電子認証、電子署名、暗号などのルール作り、知的所有権保護に関するルール作り、消費者保護、プライバシー保護、情報通信ネットワークの安全性・信頼性確保、ハイテク犯罪への取り組み、デジタル・ディバイドの解消の取り組みなどが議論されてきている。

２０００年のＧ８九州・沖縄サミットでは、デジタル・ディバイドが重要なテーマの一つになり、沖縄憲章でその解消を目的とした作業部会ドット・フォース の設置が決定された。ドット・フォースはG8の政府、企業、NPO、途上国、国際機関、ビジネス・グループといった幅広い利害関係者をメンバーとして、会合を開催し、2001年春、デジタル・ディバイド解消のための「ジェノバ行動計画」を含む報告書を取りまとめた。

沖縄憲章[44]では、「ITによる推進される経済的及び社会的変革の本質は、個人や社会が知識やアイディアを活用することを助ける力にある。我々が考える情報社会のあるべき姿は、人々が自らの潜在能力を発揮し自らの希望を実現する可能性を高めるような社会である。この目的に向けて、我々は、ITが持続可能な経済成長の実現、公共の福祉の増進及び社会的一体性の強化という相互に支えあう目標に資するよう確保するとともに、民主主義の強化、統治における透明性及び説明責任の向上、人権の促進、文化的多様性の増進並びに国際的な平和及び安定の促進のためにITの潜在力を十分に実現するよう努めなければならない。これらの目標を達成し新たに生起しつつある課題に対処するためには、効果的な国家的及び国際的戦略が必要とされる。」としている。

「また、これらの目的を追求するにあたり、我々は、すべての人がいかなるところにおいてもグロー

44　外務省ホームページ（沖縄憲章）http://www.mofa.go.jp/mofaj/gaiko/summit/ko_2000/documents/it2.html（2017．9．1）

バルな情報社会の利益に参加可能とされ、何人もこの利益から排除されてはならないという参加の原則に対するコミットメントを新たにする。この社会の強靭性は、情報及び知識の自由な流れ、相互の寛容性、多様性の尊重といった、人間の発展を促進する民主的価値に依存する。」「我々は、競争と革新を促すための適切な政策及び規制の環境の強化、経済面及び金融面での安定の確保、グローバルなネットワークの最適化のための利害関係者間の協調の促進、ネットワークの健全性を損なう濫用の防止、情報格差の解消、人材への投資並びにグローバルなアクセス及び参加の促進のための政府の努力を前進させるにあたり、リーダーシップを発揮する。」「とりわけ、この憲章は、官民のすべての人に対し、国際的な情報・知識格差の解消を呼び掛けるものである。ＩＴ関連の政策及び行動の堅固な枠組みは、社会的及び経済的機会を世界的に促進しつつ、我々の互いのかかわり方を変え得る。共同の政策協力を通じたものを含め、利害関係者間の効果的なパートナーシップも、また、真にグローバルな情報社会の健全な発展の鍵である。」としている。

２０００年7月、森内閣はＩＴ戦略本部[45]を設置、民間の有識者で組織するＩＴ戦略会議を設置した。森首相は、「日本型ＩＴ社会の実現こそが、二十一世紀という時代に合った豊かな国民生活の実現と我が国の競争力の強化を実現するためのかぎ」とした。この年にＩＴ基本法が成立し、翌

45　首相官邸ホームページ（ＩＴ戦略本部）http://www.kantei.go.jp/jp/singi/it/index.html（２０１７．９．１）

年施行された。同法は、「高度情報通信ネットワーク社会の形成に関する施策を迅速かつ重点的に推進すること」を目的としており、ＩＴ戦略本部の設置などを定めている。ＩＴ戦略本部はｅ－Ｊａｐａｎ戦略を決定、「我が国が引き続き経済的に繁栄し、国民全体の更に豊かな生活を実現するためには、情報と知識が付加価値の源泉となる新しい社会にふさわしい法制度や情報通信インフラなどの国家基盤を早急に確立する」としている。

２０１３年ＩＴ戦略本部は、ｅ－ｊａｐａｎ戦略Ⅱ[46]を策定、「ＩＴの利活用により元気・安心・感動・便利な社会を目指す」ことを基本理念とし、「既存の仕組みの無駄を排除し、経営資源を有効活用することにより、民は利益が出る体質を、官は費用対効果が最大になる仕組みを再構築する」、そして「これまでに無い新たな産業や市場を創り出す『新価値創造』」が重要であるとした。２００６年にＩＴ新改革戦略が決定され、２００９年にはｉ－ｊａｐａｎ戦略２０１５[47]が策定された。この策定に当たっては従来の政府戦略が「技術優先、サービス提供者優先」の戦略であったこ

46　首相官邸ホームページ（ｅ－ｊａｐａｎ戦略Ⅱ）http://www.kantei.go.jp/jp/singi/it2/kettei/ejapan2/030702gaiyou.htm（２０１７．９．１）

47　首相官邸ホームページ（ｉ－ｊａｐａｎ戦略２０１５）http://www.kantei.go.jp/jp/singi/it2/kettei/090706honbun.pdf#search=%27i%E2%80%90japan%E6%88%A6%E7%95%A52015%27（２０１７．９．１）

とが反省されている。民主党政権下では、２００９年に、新たな成長戦略ビジョン―原口ビジョンⅡ―が公表され、２０１０年に新たな情報通信技術戦略が決定された。この戦略では、国民本位の電子行政の実現、地域の絆の再生、新市場の創出と国際展開を３本柱とし、教育や地域主権と地域の安心安全の確立など、自民党政権下では扱われなかった政策が掲げられていた。

２０１２年の総選挙後、自由民主党が再び政権の座につき、２０１３年にＩＴ国家宣言[48]が閣議決定された。政府ＣＩＯを法制化し、高度情報通信ネットワーク社会推進戦略本部の呼称をＩＴ戦略本部から、ＩＴ総合戦略本部に変更するなど変化が見られた。ＩＴ国家宣言では、５年程度の期間に、世界最高水準のＩＴ利活用社会の実現とその成果を国際展開することを目標とし、目指すべき社会を、「革新的な新産業・新サービスの創出及び全産業の成長を促進する社会」「健康で安心して快適に生活できる世界一安全で災害に強い社会」「公共サービスがワンストップで誰でもどこでも受けられる社会」の3点を挙げていた。

自民党政権のＩＴ戦略は、電子政府と産業情報化の観点が強く、民主主義の拡張や市民社会の自律性に関しての目標設定は少なく、むしろ、初期の沖縄憲章のほうが、市民社会へのまなざしが

48　首相官邸ホームページ（ＩＴ国家宣言）http://www.kantei.go.jp/jp/singi/it2/decision.html（２０１７．９．１）

感じられるものになっている。

これらの国家理念を超えて、世界はグローバルな経済情報化を推し進めようとしている。ＴＰＰこそ足踏み状態だが、新自由主義的な規制緩和で世界の人とモノと金と情報が、ボーダレスに流通する世界こそが、経済システムの希求する未来の世界像であるように見える。そして、一国経済はこの流れに対抗できず、ＥＵなどはブロック経済化を実施し、その中の人、モノ、金、情報の流通の自由化によって、繁栄を享受しようとしている。

国内では、文部科学省が小学校からプログラミングの授業を始めるなど、ＩＴ化社会に適応できる人材育成を目指している。情報化に対応した教育は不可欠だと思われるが、ＩＴ社会にはどんな人間になって欲しいのか、どのような価値を守り築いていくのかなど、検討しなければならない課題が山積している。そのような検討を経ずに、ＩＣＴを闇雲に導入し、ＩＴ社会に次世代を担う子どもたちを適合させるのは、思慮不足と言わざるを得ない。多くの子どもたちは、膨大な時間を費やしてネットゲームに興じ、動画サイトやＬＩＮＥでのコミュニケーションに没頭している。ブラウザゲームが本格化していく中で、一層ゲームしやすい環境に多くの子供や大人が置かれ、課金ゲームに興じていくことは間違いないだろう。ゲームによる子供への悪影響などの研究[49]も多い中、ゲーム産業が市民社会を蚕食していくことについて、もう少し市民社会は意識的であるべきだろう。

世界が直面している環境問題、人口問題、経済格差などの格差の問題、政治の不安定や圧政などの課題を、情報化で解決していくことは可能なのだろうか。自然科学者の知や経済学者の分析、政治家の方針、そのようなものが一国の限界を超えて、グローバルに展開され、国連やＮＰＯ、市民がネットワークで結ばれて、行動方針を定めて、世界を動かす可能性が情報化にはあると考える。

そのためには、情報化の目標がグローバルな資本の運動にあるのではなく、市民社会とその延長の世界市民の福利の向上のためにあるように、目標を定めることこそが不可欠になるだろう。現在の市民社会がＩＴにより刹那的な快楽を求めているだけだとしても、科学者や研究者、専門家は、そのような市民社会を啓発し、状況の改善に向け、取り組んでいく責務を負うのではないだろうか。

ＩＴ技術革新は、国連開発目標の実現のために大きな力を発揮すると思われる。ＳＤＧｓは、貧困をなくそう、飢餓をゼロに、すべての人に保健と福祉を、質の高い教育をみんなに、ジェンダー平等を実現しよう、安全な水とトイレを世界中に、エネルギーをみんなにそしてクリーンに、働きが

49　清水圭介、椙村憲之『テレビゲームが子供たちに与える心理的影響』山梨大学教育学実践研究６　２０００年、ｐ101

いも経済成長も、産業と技術の基盤をつくろう、人や国の不平等をなくそう、住み続けられるまちづくりを、つくる責任つかう責任、気候変動に具体的な対策を、海の豊かさを守ろう、陸の豊かさも守ろう、平和と公正をすべての人に、パートナーシップで目標を達成しようの17項目になっている。しかし、国連の開発目標には、経済的な繁栄や教育の充実など、各論としてのＩＴは出てくるが、これだけ世界のあり方に大きな影響を与えているＩＴ技術の動向が、一部のＩＴ企業によって担われていることへの、危機感が不足しているように思われる。

ＩＴ技術の革新により、各システム間のコミュニケーションは活性化するとともに、ＩＴと結びついた経済システムによる各システムの植民地化が一層進行することが懸念される。ＧＡＦＡにビッグデータという形で情報を吸い上げられ、電子マネーや仮想通過の形で富を吸い上げられ、ＥＵやアメリカ、日本などが地域や国単位で規制に乗り出そうとしている。ＩＴ社会がどのように進行し、どこに向かうのか、市民社会はそのような圧倒的な変化の中でその方向性をコントロールすることができないし、様々な形で商品・サービスを購入し続ける消費者として、ＩＴ社会の情報過程に組み込まれていく。ＩＴ社会の新陳代謝は盛んだが、それは絶えざる技術革新と、経営革新、ビジネスモデルの刷新によるものであり、市民社会はその変化に関与はしても、その動きを支配している訳ではない。次々に変わるモデルを購入し続ける消費者・新しいモデルを大手ＩＴ企業が生み出すためのデータ提供者として存在しているのが実情である。

生まれた時からＩＴがある環境に暮らしている若い世代の、常に情報端末を所持し、暇さえあればインターネットにアクセスすることを習慣にするような変容は、技術革新は必ず社会の幸福度を増していくというような素朴な科学技術信仰では、立ち行かなくなるようにも見える。従来の科学技術と比して、それほど、ＩＴ技術の社会へのインパクトは大きかったように思われる。このような議論が、単に旧世代の繰言と見なされないように、人間としての基礎能力のあり方、社会というものと技術の関係性、市民社会の自律性についての配慮の必要性を、訴えていく必要があるだろう。

第３章　ＡＩ技術革新と科学情報過程論

1．はじめに

ＡＩ脅威論が世間を賑わしている。その際に使われているＡＩという語は安易に多義的で、そのこと自体が、一般市民への誤解を広げている傾向がある。この論文では、このようなＡＩ脅威論を無意味なものと切り捨てるのではなく、それをきかっけに、市民がＡＩ技術の開発や応用に要望や懸念を反映させることができるために、どのような制度や取り組みが不可欠なのかを、示したいと考えている。まずは、現時点でのＡＩという語が何を指しているのか政府の見解の概略を示しておきたい。

平成28年度の情報通信白書によると、ＡＩと一般に呼ばれている技術には、例示すれば以下のようなものがあり、その応用が期待されているという。２０１４年時には画像認識技術があり、認識精度が高まることにより、画像診断などが可能になり、２０１５年時にはマルチモーダルな抽象化により、行動予測や環境認識が可能になり、防犯・監視技術などが開発されてきた。行動とプラニング技術により、自動運転も開発され、物流やロボットにも応用されるようになった。行動に基づく抽象化により、環境認識能力が大幅に向上し、社会への進出、家事・介護などにも応用されることが期待されるようになった。言語への紐付けにより言語理解が向上し、自動翻訳などの技術の進歩、２０２０年時にはさらなる知識の獲得により、さらなる知識理解が進み、教育、秘書やホワイトカラー支援が可能になるとしている。このような広範なＡＩ技術の進歩により、ＡＩに対する期待の裏返しとしてＡＩ脅威論が生み出されていると思われる。その中でも、碁や将棋の人間の棋士をＡＩが破り、その背景としてディープラーニングなどの技術革新があるとして、ＡＩの進歩がマスメディアなどで大々的に喧伝されるようになった。ビジネス界では、新たなトレンドとしてＡＩ技術を取り入れなければ、生き残れないという風潮が生まれ、ＡＩが社会を激変させることが懸念されるようになった。

イギリスの宇宙物理学者のスティーブン・ホーキング博士は、イギリスＢＢＣのインタビューに対し、「完全な人工知能を開発できたら、それは人類の終焉を意味するかもしれない」「人工知能が自分の意志を持って自立し、そしてさらにこれまでにないような早さで能力を上げ自分自身を設計しなおすこともあり得る。ゆっくりとしか進化できない人間に勝ち目はない。いずれは人工知能に取って代わられるだろう」と述べ、ＡＩの進歩に警鐘を鳴らした。[50]

オックスフォード大学でＡＩなどの研究を行うマイケル・Ａ・オズボーン教授は、同大学のカール・ベネディクト・フライ研究員とともに、『雇用の未来―コンピュータ化によって仕事は失われるのか』

50　Ｎｅｗｓｐｈｅｒｅ（ホーキング博士インタビュー）http://newsphere.jp/world-report/20141204-4/（２０１７．２．23）

という論文を執筆し、世界中で話題となった。同論文では、702の職種について、コンピュータに取って換わられる確率を計算した。これから「消える職業」「なくなる仕事」を示したとも受け取られ、産業界に衝撃を与えている。[51]

同論文では、銀行の融資担当者、スポーツの審判、不動産ブローカー、レストランの案内係、保険の審査担当者、動物のブリーダー、電話オペレーター、給与・福利厚生担当者、レジ係、娯楽施設の案内係、チケットもぎり係、カジノのディーラー、ネイリスト、集金人、ホテルの受付係、仕立屋、時計修理工、税務申告書代理者、図書館員の補助員、データ入力作業員など多くの職業がなくなる可能性の高いものとしてリストアップされている。同教授の分析によると、今後10～20年程度で、アメリカの総雇用者の約47%の仕事が自動化されるリスクが高いという結論に至ったという。そして、従来は人間だけができるとされていたクリエイティブな仕事にもＡＩが進出し、医師や教師などの仕事もＡＩ化される可能性が高いという。

無人化される中で、実用化のための社会実験に至っているものに自動運転の自動車が挙げられる。

51　オックスフォード大学マーチン校ホームページ http://www.oxfordmartin.ox.ac.uk/downloads/academic/The_Future_of_Employment.pdf（２０１７．２．23）

シンガポールでは既に社会実験化されており[52]、日本の各自動車メーカーも電気自動車と同時に自動運転車の開発を急ピッチで進めている。

ＡＩに人間が仕事を奪われ、富の一極集中が加速する懸念が広がっている。その懸念を打ち払おうと世界的ＡＩ分野の大手５社が人類に利するＡＩ同盟（Partnership on Artificial Intelligence to Benefit People and Society）[53]を立ち上げた。メンバーはＦａｃｅｂｏｏｋ、Ｇｏｏｇｌｅ、Ａｍａｚｏｎ、Ｍｉｃｒｏｓｏｆｔ、ＩＢＭ。同盟では、ＡＩの倫理、公正、透明性、プライバシー、相互運用性、人間とＡＩシステムのコラボレーション、テクノロジーの信用性、安全性、堅固性などを研究していくことになっている。この動きは、ＡＩを開発する巨大企業が、自分達でその倫理まで定めようとしているようにも見える。しかし、本当にＡＩは人間に害を及ぼす心配はないのだろうか。ＩＴ大手に倫理まで任せてしまって、大丈夫なのだろうか。

52　日本経済新聞ホームページ（シンガポールでの自動運転）http://www.nikkei.com/article/DGXMZO06696480R30C16A8000000/（２０１７.７.13）

53　ＡＩ同盟ホームページ https://www.partnershiponai.org/（２０１７.７.13）

ＡＩが世界を変えていく、産業を変えていくことについては、ドイツのインダストリー４．０[54]や第四次産業革命など、ばら色の未来社会を実現していくためのビジョンが打ち出されている。しかし、多くの既存の職種が失われ、失業が増えるなどの懸念も表明されている。従来の科学技術のように、ＡＩ技術も社会の側は受身になり、その変化を受容するしか道はないのだろうか。変化に怯えている市民社会の側で、どんな未来社会に生きたいのか、ＡＩがどう社会と出会っていくのかの方向性の決定に参画することはできないのだろうか。この論文では、現在までの国内での動きを概観し、システム間のコミュニケーションという視点で、ＡＩ社会を市民がデザインする可能性を探りたい。

2. ＡＩの歴史

平成28年度の情報通信白書によると、ＡＩという語が初めて世に知られたのは１９５６年の世界

54　岩本晃一『インダストリー４．０を推進するドイツの国内事情及び国家目標』経済産業研究所ホームページ http://www.rieti.go.jp/jp/publications/pdp/16p009.pdf#search=%27%E3%82%A4%E3%83%B3%E3%83%80%E3%82%B9%E3%83%88%E3%83%AA%E3%83%BC4.0+%E3%83%89%E3%82%A4%E3%83%84%27（２０１７．８．９）

学会であるダートマス会議で、計算機科学者のジョン・マッカーシーが命名した。AIの定義は様々で、学者によって「人間のように考える能力があること」とか、「心を持つメカ」だとか多種多様である。

AIの研究は1950年代から継続し、現在は第三次のブームと言われている。50年代後半から60年代にかけては、第一次人工知能ブームが訪れた。コンピュータによる推論や探索が可能になり、特定の問題に対して解を提示できるようになった。主要な技術は探索や推論で自然言語処理、ニュートラルネットワーク、遺伝的アルゴリズムなどで、ダートマス会議で人工知能という言葉が登場し、ニュートラルネットワークのパーセプトロンが開発され、人工対話システムELIZAが開発された。当時のAIには、迷路の解きかたや定理の証明のような単純な仮説の問題を取り扱うことはできても、複雑な要因の絡み合う現代社会の課題を解くことは不可能であり、その後冬の時代が訪れた。初のエキスパートシステムMYCINが72年に開発され、その知識表現と推論を一般化したEMYCINが79年に開発されている。

1980年代に第二次人工知能ブームが到来した。コンピュータが推論するために必要な情報「知識」をコンピュータが認識できる形で記述したものを与えることで、AIが実用可能な水準に達し、多数のエキスパートシステムが生み出された。主な技術としては知識ベースで、日本では政府による第五世代コンピュータプロジェクトが推進された。しかし、当時はコンピュータに必要な情報を人がコンピュータに理解可能なように与える必要があることや、活用可能な知識量を特定の情報などに限定する必要があることから、プロジェクトは失敗に終わった。[55] しかし、音声認識などもこの時代の技術である。知識記述のサイクプロジェクトが開始され、データマイニングやオントロジーなどが開発された。その後、再びＡＩ開発は冬の時代に突入することとなる。その時代に、統計的自然言語処理の技術が開発されている。

２０００年代に入り、第三次人工知能ブームが到来する。このブームは現在まで続いている。ビッグデータと呼ばれているような大量のデータを持っていることで、ＡＩ自身が知識を獲得する機械学習が実用化された。知識を定義する要素をＡＩが自ら習得するディープラーニングが登場している。

過去のブームでは、ＡＩが実現できる技術的な限界よりも、社会がＡＩに求める水準が上回っていたためブームは終息していった。現在のディープラーニングなどの技術も、実用化のための取り組みが実際に動き始めた際に、可能性と実現性の乖離も減っていくのかもしれないが、第三次ＡＩブームにしても過去のブームのように消えていく可能性もある。だとしても、ＡＩ技術革新が社会にインパクトを与えることは確実であり、このような技術に対して、市民社会が何らかの意思表示をしていく必要性は失われないと考える。

55　西垣通『ビッグデータと人工知能　可能性と罠を見極める』中公新書、２０１６年、ｐ68

３．ＡＩとこれまでの科学技術との違いは何か

技術決定論的であると批判を受けそうだが、世界の産業構造を変えた今までの科学技術を振り返ってみたい。まずは産業革命をもたらしたと言われている蒸気機関について概観したい。蒸気機関は、イギリスでワットらが開発し、当初は炭鉱や紡績工場などで使用された。イギリスに端を発する大量生産の時代を第一次産業革命と呼ぶ。その結果、多くの工場労働者が不要になり、インドなどの軽工業が壊滅的な被害を被った。資本家が工場建設などに巨額の費用を投資し、農村から都市に流入した安価な労働者を雇用し、莫大な利潤を上げるようになった。この時代の社会的な格差は、マルクスなどの経済学者を生み、共産主義の思想が生まれた。工場労働者たちは組合を作り、現在の西欧の社会民主主義を担う政党は、その社会変化の中で一般の市民の暮らしを守るために機能している。つまり、蒸気機関を初めとする産業革命は社会的に大きなインパクトをもたらし、今の格差社会の源流はそこにあると言っても過言ではないだろう。そして、この産業革命が市場を求めて植民地を争奪する帝国主義の基盤になったと考える学者が多い。それは、列強間の対立を生み、二度の世界大戦へと突入することになる。また、その戦争では航空機や戦艦、核兵器など科学技術の粋を集めた最新兵器が膨大な一般人を殺戮し、総力戦の中で一般市民が居住している市街地を灰燼に帰したことは人類の歴史の中の汚点である。

第二次産業革命と呼ばれるのが、軽工業から重化学工業への産業の高度化である。この流れは、先進国で顕著である。むしろ、この第二次産業革命の波に上手く対応できた諸国が現在の先進諸国になっているとも言えるだろう。産油国から原油を輸入し、または自国で産出した原油を用い、重化学工業を発展させ、火力発電による豊富な電力を用いて大規模な工場を運営し、産業用ロボットやオートメーション化により効率化して、莫大な利益を上げる大企業が生まれた。この時代の負の遺産としては深刻な公害問題がある。多くの大企業は公害への社会的責任を果たした上で、金融や行政に影響力を行使し、所得税を減税させたり、労働運動をコントロールしたりし、人件費の安い途上国に生産拠点を移すなどしてグローバルな多国籍企業に進化していった。

そして、そのようなグローバルな多国籍企業の一角を新参者のＩＴ企業が占めるようになり、産業のあらゆる局面にコンピュータとＩＴが影響をもたらす時代が到来した。今や、ＩｏＴと呼ばれるように、全ての家電や自動車や工業製品にＩＴが結びつき、ビックデータをＩＴ産業が独占し、それを次の産業戦略に生かしていく時代になろうとしている。コンピュータによるオートメーション化を主軸とする産業変化を第三次産業革命と呼ぶ場合もある。

それでは、第四次産業革命と呼ばれている現在の動きは、これまでの産業革命とどこが違うと言われているのだろうか。アメリカでは、第二次・第三次をひとまとめに第二次産業革命と呼んでいる。第四次産業革命という呼び方は、２０１６年1月に世界経済フォーラム年次総会（ダボス会議）がスイスで開催され、第四次産業革命と題された現象が大きく取上げられたことに由来する。第一次産業革命が動力としたのが蒸気、第二次産業革命が電気と石油、第三次産業革命がコンピュータによる自動化、第四次産業革命では、あらゆるものがインターネットでつながり、それをＡＩが制御するという見取り図だ。第四次産業革命では、それまで人間が機械を操作していたのに対し、第四次産業革命ではＡＩが機械を自動制御するという。ＩｏＴであらゆるものがインターネットにつながり、リアルタイムで情報の出入力が行われる。集積されたデータをＡＩが分析し、自動車や電化製品、あらゆるものを自動制御する。集められたビッグデータは、さらなる商品やサービスの実用化、産業の振興に利用されていくというものだ。

４．市民社会はＡＩとどう向き合えばいいのか

一部の識者は、ＡＩの社会変革について、明るい未来を予測する。その中では、例えばシンギュラリティ[56]といって、２０４５年にＡＩが人間の能力を超えるなどと喧伝されている。ＡＩも今までの科学技術のように、人の雇用を奪っても新しい仕事を作るので心配する必要がないという意見もよく

56　西垣通『ビッグデータと人工知能　可能性と罠を見極める』中公新書、２０１６年、ｐ90

耳にする。ＡＩが代わりに働いてくれるので、人間はベーシックインカムのような金銭を支給され、もっと人間らしい活動ができるような世界が到来するなどの未来像も描かれることがある。今までの産業革命が、人類を苦役や単純作業から解放してきたように。しかし、本当にそのように未来はばら色なのだろうか。

世界経済フォーラム（ＷＥＦ）がダボス会議で発表した２０１７年のグローバルリスク報告書[57]によると、世界の労働人口の約65％を占めている世界15の国・地域で、今後5年間で、約５１０万人が職を失うとしている。ＷＥＦの「ザ・フューチャー・オブ・ジョブズ（職の未来）」と題された報告書では、２０２０年までに７１０万人が職を失い、２００万人分の雇用が創出されるとしている。

報告書では、全業界で職の喪失が見込まれるが、医療業界、エネルギー業界、金融業会などに大きな影響が出るとしている。営業、事務、総務部門などの低成長分野での就業の多い女性労働者は甚大な影響を被るとしている。今後5年間で、男性労働者は雇用が1創出されるのに対して3喪失が見込まれるが、女性労働者は、雇用が1創出されるのに対して5以上の雇用の喪失が予想されている。[58]

57　マーシュジャパンホームページ（ダボス会議報告書）http://www.marsh-jp.com/mj/newsroom/global2017.html（２０１７．８．８）

58　東洋経済オンライン http://toyokeizai.net/articles/-/101235（２０１７．２．２８）

日本労働組合総連合会は、２０１６年度の春闘の基本方針の中で、労働力の減少に関して言及しており、「労働力減少は、機械化・ロボット化やＩＣＴ、ＡＩの活用や、ＩｏＴ、ＩｏＥ、インダストリー４．０などの生産性向上ツールの活用による働き方の変化や人的労働力から機械的労働力（講義の設備投資、設備代替）への置き換えを薦めていくことが容易に想定される。」としており、ＡＩ活用に対しての懸念を表明していた。そして、２０１７年度の春闘方針では、「加速度的に進む技術革新に対応して生産性を向上させ、それに見合った処遇が確保できるようにすること、換言すれば『ディーセント・ワーク（働きがいのある人間らしい仕事）の実現を可能にする「人への投資」を求めることが必用である』としている。[59] また、情報産業労働組合連合会では、働く人たちのための情報労連レポートの２０１６年11月の記事[60]で、「第四次産業革命と労働運動」と題して、「技術革新を前向きに受け止めつつ、新しい働き方には労働者保護を堅持し対応」と、ＡＩ技術革新が人口減少社会などの問題解決の手段になるとして、危機感の欠如を露呈している。

２０１６年、日本人工知能学会の倫理委員会は人工知能学会全国大会における公開討論のため

59　日本労働者組合総連合会ホームページ https://www.jtuc-rengo.or.jp/activity/roudou/shuntou/2016/houshin/houshin.html（２０１７．２．２８）

60　産業労連レポート（第四次産業革命と労働）http://ictj-report.joho.or.jp/1611/sp03.html（２０１７．８．14）

に人工知能研究者の倫理要項（案）を取りまとめた。要項（案）をもとに、2017年倫理指針を定め、検討作業を継続している。要項（案）によると、「人工知能は経済、政治、産業、行政、教育、医療といった幅広い分野で人類にとって目に見える形と見えない形で大きな役割を果たしていくものと考えられる。人工知能研究開発者は人工知能の研究、設計、開発、運用、そして研究者の教育を行っている。人工知能はその汎用性と潜在的な自律性から人工知能研究者の想定しえない領域においても人類に影響を与える可能性があり、人工知能研究開発者によって為された研究開発がその意図の有無に関わらず人間社会や公共の利益にとって有害なものとなる可能性もある」と序文で記している。

2017年の倫理指針の綱領の内容では、人類への貢献、法規則の遵守、他者のプライバシーの尊重、公正性、安全性、誠実な振る舞い、社会との対話と自己研鑽、人工知能への倫理遵守の要請などが掲げられている。このような綱領が学会で制定されるほど、AIの社会へのインパクトは甚大であることが予見されているのだ。研究者たちは、自分達の研究に関して、社会との対話の必要性を痛感してはいるが、研究の方向性が社会の側から検討を迫られるような局面までは想定しているとは思えない。実際、現状では研究者たちの研究活動に対し、市民社会の側からの要望などの動きは見えない。

アイザック・アシモフが1950年に発表したSF小説『われはロボット』でロボット工学3原則

を示している。３原則は有名なものだが、第一条では「ロボットは人間に危害を加えてはならない。また、その危険を看過することによって、人間に危害を及ぼしてはならない。」第二条では「ロボットは人間にあたえられた命令に服従しなければならない。ただし、あたえられた命令が、第一条に反する場合は、この限りでない。」第三条では、「ロボットは前掲第一条および第二条に反するおそれのないかぎり、自己をまもらなければならない。」というものだ。２０１５年10月に開催したロボット法学会準備会で慶応義塾大学総合政策学部の新保史生教授が「ロボット法新８原則」を発表している。ロボット法新８原則とは、人間第一の原則、命令服従の原則、秘密保持の原則、利用制限の原則、安全保護の原則、公開・透明性の原則、個人参加の原則、責任の原則というものだ。ロボット法では、ＡＩとＩＣＴ、ビックデータが背景となるので、新しい項目が付け加えられている。ＡＩが多くの労働者の雇用を奪うならば、それは人間に対する危害には当たらないのだろうか。

アメリカではＡＩを直接に規制する法律案は現在のところ提出されていないが、ドローンや自動運転自動車、ビッグデータや遺伝子、医療分野などに関しての取り扱いに規制が出されている。日本政府の各省庁はどのような法規制を行おうとしているのだろうか。国土交通省は、商用ドローンの法規制では２０１５年12月10日施行で改正航空法を成立させ、自動運転に関しては２０１６年度中に指針を作成し、２０２０年を目処に法整備を予定している。

経済産業省では、２０１５年10月に、ＩｏＴ推進コンソーシアム（座長：村井純・慶應大学教授）[61]を立ち上げ、産学官連携でデータ取引のあり方やプライバシーの遵守の仕方、知的財産などの課題を論議し始めた。厚生労働省では、安全衛生規則を改定し、産業用ロボットと人間の共同作業をやりやすくするなどとしている。総務省も、商用ドローンに関して電波法の改正などを予定している。

このような大きな動きの中で、市民社会は変容を受け入れる客体としてしか扱われていないことが非常に懸念される。

5．社会システム論を用いてＡＩ社会を考える

私は、科学情報過程を考える際に、システム間のコミュニケーションという概念装置を用いている。図1は、パーソンズの社会システム論ＡＧＩＬ図式をベースに著者が作成した図である。社会システム論とは、社会の仕組みを各システムに分割して理解するものであり、パーソンズ以降は、システム論の批判的継承としてはルーマン、市民社会論ではハーバーマス、パットナムなどに引き継がれている。経済システム、政治システム、教育文化組織信託システム、議会・地域集団社会的コミュニティとい

61　ＩoＴ推進コンソーシアムホームページ http://www.iotac.jp/（２０１７．８．14）

図１　AGIL 図式（著者作成）

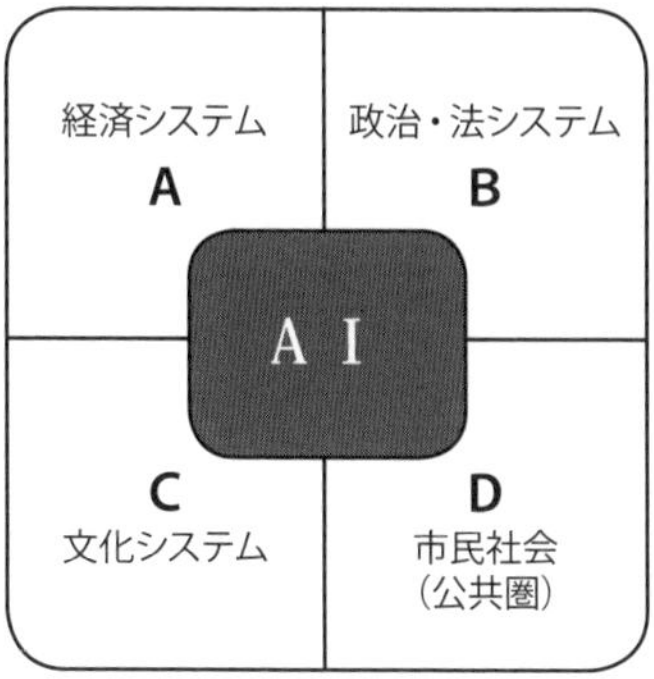

図２　AIをめぐる社会システムのモデル
（筆者作成）

うのが、パーソンズの示したＡ適応、Ｇ目標達成、Ｉ統合、Ｌ潜在的パターン維持に対応したものとなっている。図２は、ＡＩと各システム間のコミュニケーションを考えるための図である。

　ＡＩが社会へどのようなインパクトを与えるか、逆に社会の側がＡＩ技術の開発や応用にどのような制限をかけられるかを考察する際に、各システム間のコミュニケーションというコンセプトで分析できる、このモデルが有効であると考えている。以下、このモデルを使用して、ＡＩと社会の各システムとの関係を描写してみたい。

　ＡＩ技術は、コンピュータ技術者たちが開発してきた。大学の研究者が研究所を立ち上げたり、インターネットやＳＮＳの大手がＡＩ技術の開発機関を買収したりすることで、研究体制を整備しつつある。これらのＩＴ企業は、次産業のメインは、ＡＩになると予測しており、ＡＩを制するものが次世代の産業界を支配すると考えて、戦略的に動いている。つまり、大学を母体としたり、技術者たちのベンチャー企業を起点としたりする様々な研究機関が、産業界と結びついて急激にＡＩ技術を実用化しようとしているのだ。このような動きは、旧来からの産学協同のスタイルである。そして、ＡＩ技術は軍事産業にも必須であり、最新鋭の軍事兵器の開発に欠かせない存在である。つまり、産学軍が結びつき、それをアメリカのように政府が後押しする場合には、産官学軍が結びついた複合体が形成されていくのだ。このような場合の研究は、ブラックボックス化され、市民社会には殆ど情報公開されない。むしろ機密情報となっており、国の覇権と結びついて、次世代の軍事戦略の中枢を担うと見なされている。

産業界は、ＡＩを利用して、自動車や家電、携帯電話などのモバイル、パソコン、自動翻訳や産業用ロボット、ホテルの受付など広範な産業に進出しようとしている。そして、そのＡＩ搭載のメカには情報収集の端末を置き、ビッグデータを収集して、新たなビジネスやマネジメントに活用し、一層、自分達の支配力・独占力を増そうとしているのだ。このような覇権に対抗して、ドイツは２０１３年４月より、インダストリー４．０という産業革命を推し進めようと官民一体となって取り組んでいる。インダストリー４．０は、生産工程のデジタル化・自動化・バーチャル化のレベルを大幅に高めてコストの極小化を目指す運動である。現在ドイツの電子機器メーカーや自動車メーカー、ＩＴ・通信企業がスマートファクトリー、つまり考える工場を開発しようとしている。このような法・政治システムが、経済システムと結びついて、第四次産業革命と呼ばれる変化に対応しようと総力を挙げている。これは、アメリカを中心とする世界有数のＩＴ企業に将来の市場を奪われないための布石とも言える。

日本政府は２０１６年11月２日、構造改革徹底推進会合[62]を開催し、ＡＩの産業化に向けた工程表の素案を示した。優先的に対応を進める戦略分野に、健康、医療・介護、空間の移動、セキュリティ、生産性の４つを選定している。産業化する時期としては短期、中期、後期の３つにわけ、段階的にＡＩの普及を進めるとしている。正式な工程用については、16年度中に取りまとめ、17年度半ばに策定する成長戦略に盛り込むとしているが、ドイツに比べて対応の遅れが目立つ。例示されたＡＩ技術にしても、独居老人の見守りサービスや介護ロボット、自動運転車の開発といったものだが、ＡＩを使った製品開発をする製造業者向けのもので、肝心のＡＩについては、どのように開発するのだろうか。

現在、足早に自動車メーカーが、Ｇｏｏｇｌｅなどのｌ Ｔ大手とＡＩ開発で連携する事例が目立っているが、このままだと、パソコンのデファクトスタンダードがマイクロソフトになってしまったように、

62　構造改革推進会議（首相官邸）ホームページ http://www.kantei.go.jp/jp/singi/keizaisaisei/miraitoshikaigi/（２０１７・８・14）

自動車や工場用機械のＡＩがＩＴ大手に独占されてしまい、日本の自動車産業や生産用機械産業、家電産業は、箱だけをつくり、ＡＩは全て他国の産業のものを利用せざるを得ない未来が待っている可能性さえある。しかも、世界的なＩＴ業者は、ＡＩとＩＴを結びつき、ビッグデータを獲得することも視野に入れており、日本の製造業は大きく戦略的に水をあけられているのが実情だ。

文化システムについて分析してみると、そもそもパソコンやＩＴが大きく文化を変えている。教育分野では、高校で情報が必修とされ、デジタル・ディバイドの払拭が目的とされてきた。パソコンがＩＴにリンクされて、双方向型のコミュニケーションが可能となり、情報環境は大きく変わった。マスコミのような大手企業が流す情報だけでなく、個人や企業が流す情報にもアクセス可能になり、誰もが情報の送り手になれる時代が到来したとされた。しかしながら、テレビ局や新聞社の広告収入が減り、書籍の販売額も過去最低を更新し続けており、ネットから無料で得られる情報のみが、一般市民の情報源とすらなりつつある。そこには、ネット上の様々な広告に関する情報が、購買者の嗜好にカスタマイズされて、待ち受けている状況だ。

文部科学省は、次の学習指導要領には、小学生からのコンピュータプログラミングを盛り込む方針であり、世界的なプログラミング水準、ＡＩ開発水準に遅れないために遅ればせながら手を打とうとしている。しかし、難しいプログラミングの知識がなくても動かせるウインドウズ搭載のパソコンが登場し、その上、今の若者の多くはスマホ世代であり、情報消費者としては優れていても、プログラミングにどれだけ関心を示すのかは未知数だ。しかも、小学校でどれだけの教師がプログラミングを指導できるのか、さらにより高校の情報の授業を高度化させるとしても、現場の情報の教師がどこまで指導できるのかは未知数だ。学校にロボットを飾って子どもたちの好奇心をかきたてるぐらいでは、プログラミング教育は伸展しないだろう。

市民社会に関してでは、現在のところ大きな影響は受けていないが、先に述べたように、シンガポールで自動タクシーの社会実験が行われており、多くの労働者がＡＩに仕事を奪われる可能性が指摘されている。さらに運送業などへの影響が想定されているドローンの実用化も急ピッチで進んでいる。

例えば、パソコンの導入で、従来多くの女性が就職していた事務一般職であるＯＬが不要になったことは記憶に新しい。そのような技術革新による雇用の変化は、市民社会は甘んじて受けてきたのが歴史である。しかし、前述の予測のように、社会の多くの仕事が奪われるのであれば、市民社会や労働組合は、何らかの意見をＡＩ開発業者に対して表明すべきではないのだろうか。市民社会が、ＡＩによる社会変動の方向性の決定に対し、何らかの参画ができうるような制度的な保障というものがあるべきではないのだろうか。

ＡＩには、強いＡＩと呼ばれるものと、弱いＡＩと呼ばれるものがある。強いというのは一般的には汎用性を意味すると言われている。強いＡＩ技術に携わる研究者の中には、ＡＩを人間に近づけたり、ＡＩで人間のできない作業を行わせようしたりする研究を進めている者もいる。人間のように思考や創造ができるＡＩというものは本当に必要なのだろうか。そのようなものを作れば、膨大な人間の職が奪われることは誰にでも自明なことだと思われるが、そのような懸念は、膨大な税金を補助金として投入してなされる大学研究者の研究のあり方に関して、何らかの制約を行えないものだろうか。新しいことに挑戦したいのが研究者の性質だとしても、例えば生殖科学で、クローン人間を作り出す研究は禁忌とされているように、ＡＩ研究にも何らかの制御が必要なのではないだろうか。

そして、ＡＩに対するこのような様々な不安をマスコミなどが煽っているが、果たしてＡＩは彼らが考えているように万能で正確なのであるのかを考える必要があるだろう。ＡＩに不勉強なマスコミや政財界は、ＡＩは万能で正確だと宣伝し未来を予測しているが、実際には、ＡＩも人が作っているのである。ＡＩの開発者が、自らの意図を持った推論や判断を行う「モデル」をソフトウェアなどに具現化しているに過ぎない。現在のディープラーニングに見られる成功は、その応用する範囲が「無矛盾な世界」だから成功しているのである。多くの人たちの不安は、実社会のように矛盾を多く含んだ複雑系環境におけるＡＩの判断が正しいかどうか、そのようなＡＩが将来的に開発できるのかについての見極めができないことにある。

残念ながら現在の矛盾を抱える社会環境において、正確で正しい判断をする手段を提供する研究はない。

多くの場合には、統計的手法などを用いて、現象の傾向を見つけるに留まっている。この傾向を見つけることは大局的な判断には有効であるが、個人の意思決定や個々の事象における判断に利用することは正確ではない。なぜなら、統計的処理には、必ず結果に不確定性（分散）が含まれるからである。複雑系環境での決定論的判断が不可能なのは、現代科学では常識である。

ＡＩ開発者は、このような困難さを理解しているために、安易なＡＩ文明論などには組せず、ＡＩ脅威論などにも冷ややかな態度を取るのが普通である。対して、理解のないマスコミや経済界は、ＡＩの判断は正確であると盲目的に宣伝しており、このことこそが問題であると思われる。さらに恐ろしいのは、ＡＩに組み込まれた判断モデルが、一企業や特定の政府与党による先導的プロパガンダに利用されることである。もう一度言う、ＡＩは矛盾を多く内包した実社会では、その判断は必ずしも正しくはない。このことは人工知能研究者では常識である。

従って、一般市民がＡＩの判断を受け入れる場合でも、盲目的に受け入れるのではなく、人間が持っている常識や知識などの多様な知見を考慮する必要がある。そういうものも全て判断できるＡＩが実現すると想定しているのだとしたら、それは全知全能の神を創るに等しく、もはや科学技術の範疇を超えた、空想の世界の産物としか言いようがない。

従って、市民社会は、ＡＩ開発者や政財界の指導者たちが、ある判断をするＡＩをどのように活用しようとしているのか自覚的である必要がある。市民社会がＡＩ研究の動向を知るために、まずは文化システムのマスコミなどのメディアが情報提供していく必要があるだろう。そして、教育分野では、単にプログラミングを教えるのではなく、人間と科学技術の関係のあり方を考えさせ、自分たちが科学技術をどう方向付けていくのか、その動きに参画していくのかということを、教える必要があるだろう。つまり、ＡＩではなく個々人が社会のあり方について、意志決定していくのだということを、重要視する必要があるのだ。私はこのような行為こそが、サイエンス・コミュニケーションとして不可欠であると考えている。法・政治システムでは、現状では産業振興に乗り遅れないための法制度の整備以外の動きが見えない。しかし、法制度に関しては、ＡＩ技術が人間を危険に陥れたり、あるいは広範な職を奪ったりしないための仕組みを作り、もしＡＩ技術によって職が失われるとしたら、失業した労働者が別の産業に労働移動できるようなビジョンを示して実行していくべきだろう。産官学の協同だけでなく、産官学軍の協同がＡＩ技術の進展とともに進行している。やはり、市民社会が平和で繁栄したものであり続けるためには、シビリアンコントロールが不可欠である。そのためには、情報公開が不可欠である。

ＡＩ技術の開発に関しては産業界、それもグローバルなＩＴ企業などが自らの利益を世界規模に拡大するための戦略が透けて見える。各国政府もその動きに遅れないように法制度を整えようとしている。科学の進歩により人類が恩恵を受け、社会がより繁栄するという夢を失えば、資本の支配のための科学研究に堕してしまう。ＡＩ技術が市民社会の繁栄のためにあるようにするためには、システム間のコミュニケーションを円滑にし、一体、科学者は何を求めて研究をしているのか、政府は何を考えてＡＩ活用を推進しようとしているのか、市民サイドからの対話を実現し、深く問い直す必要があると思われる。

第4章　日本の科学ジャーナリズムと科学情報過程論

1．はじめに

ＡＩやＩｏＴ、ドローンにｉＰＳ細胞、臓器移植など私達の社会を激変させるであろう科学技術が目白押しである。原発事故や北朝鮮のミサイル開発など、科学は人間を幸せにするのかどうか、科学神話に陰りが見えているのが現代社会ではないだろうか。しかしながら、科学技術白書28年度版によると、日本政府は少子高齢化・労働不足などをＩｏＴやＩＣＴ、ＡＩなどの最新科学技術の活用で乗り来ることができる、それがSociety5.0だと謳っている。[63] そのような科学神話を、日本の科学ジャーナリズムは十分に検証してこなかったのではないだろうか。

福島第一原子力発電所の事故以降の報道は、多くの国民の間に日本の科学ジャーナリズムのあり方に対する深刻な疑念を生んだ。その問いかけをもとに、日本社会における科学ジャーナリズムが日本社会における科学についての情報の流れ（これを科学情報過程と呼ぶことにする）においてどのような役割を果たしてきたか、あるいは果たして来なかったのかを社会システム論を援用して分析し、日本社会における科学ジャーナリズムの果たすべき機能を提示したい。

63　http://www.mext.go.jp/b_menu/hakusho/html/hpaa201601/1362981_001.pdf（２０１８.５.21）

2. 日本における科学ジャーナリズムの歴史

古代の日本社会にあっては、農業や鉱工業など、ある集団にとって有益な「科学」技術に関する情報を獲得するためには、技術者の移動が特定の「科学」技術の伝播には不可欠であった。やがて、書物や設計図など紙媒体による技術の移動が可能になり、建築や土木、数学や天文学、治水や農法などの知識が、初期には手書きの写本、江戸期になると印刷本により入手可能になった。これらの書籍が、日本における「科学ジャーナリズム」の前史と言えるだろう。数学や天文学などは、愛好者も多く、江戸庶民の知的好奇心を掻き立てるベストセラーの数学書などが存在したことが知られている。また、中国からの科学技術の伝播、武器や兵器、医学などの蘭学の影響など、諸外国からの科学技術についての知識は、書物の翻訳によって獲得された。語学に秀でることが、進んだ諸外国の科学技術を獲得するための手段だった。そして、そのような翻訳本が、江戸期には『解体新書』などのように広く流通するようになっていった。[64] 初期は中国語そして、オランダ語、それから英語というように、語学に通じることが、知識の翻訳には不可欠であり、前史として「科学ジャーナリズム」が海外の知識の翻訳である時代が到来する。

64　洋泉社編集部編『江戸の理科力』洋泉社、２０１４年

江戸末期には、黒船の来航に象徴されるように、軍艦や武器に関する科学技術の知識が急速に求められるようになった。各藩は、進んだ軍事技術を得ようと、西洋の貿易商に接触したり、秘密裏に留学したり、手段を講じた。そして、留学や交易、明治期にはお雇い外国人を大量に活用して、急速な西欧の科学技術を日本社会に移転することが国策となった。科学は進んだ西洋近代の象徴であり、その知識を早急に移入して富国強兵を成し遂げることが、植民地政策下の世界で明治政府が生き延びる道と見なされ、多くの大学や専門学校が創設され、科学技術者が育成された。それらの科学技術者は、技官として明治政府の政策を下支えし、あるいは民間で新しい会社を創業して、殖産興業の主力部隊として活躍した。[65]明治期には出版業が勃興し、多くの科学雑誌が創刊された。また、学会誌も多数創刊されている。寺田寅彦など、科学者の視点を生かした文章を多数発表する学者も登場し、「科学ジャーナリズム」らしきものが生み出された。最初の科学雑誌ブームは第一次世界大戦後に起こり、1921年に「科学知識」、23年に「科学画報」、24年に「子供の科学」などが創刊されている。また、22年にはアインシュタイン博士が来日、相対性理論ブームが巻き起こった。[66]しかし、これらは、科学知を市民や研究者同士に伝えることを主眼としており、科学のあり方

65　天野郁夫『大学の誕生（上）』中公新書、2009年、p28～p30

66　日本科学技術ジャーナリスト会議編『科学ジャーナリズムの世界』化学同人、2004年、p97

について提言したり、科学政策を問いたりいするようなスタンスのものではなかった。やがて、新聞も出版も、総ジャーナリズムが挙国一致で戦時体制に巻き込まれていった。

それでは、戦後日本社会における「科学ジャーナリズム」のスタートはどのように切られたのだろうか。必ずしも、「科学ジャーナリズム」＝マスメディアの科学部ではないが、新聞・雑誌のマスメディアを中心に、戦後の科学報道の歴史を振り返ってみる。

科学報道は、終戦直後から受難のスタートを余儀無くされた。原爆などの被災地の惨状を伝える新聞記事が相次いだために、反米感情の高まりを恐れたＧＨＱは１９４５年９月19日に原爆報道を規制、22日に核分裂性物質分離研究を禁止した。昭和20年８月16日の朝日新聞の見出しに、「科学や物量で敗れた」と出されたことにも伺えるように、戦後日本の復興は科学立国を掲げた政府の先導でスタートし、国民もこれを歓迎し、日本社会は科学ブームとなった。「科学の友」「国民の科学」「科学の世界」「科学と芸術」「科学公論」「自然」「文化人の科学」「科学思潮」「科学園」など、数多くの科学雑誌が創刊された。[67] その中で１９５０年、朝日新聞に科学欄が登場し、日経新聞も「科学と技術」欄を設け、１９５６年に読売新聞が科学報道本部設置、１９５７年に朝日新聞・毎日新聞が科学部を設置、１９５９年に共同通信が科学部を設置した。水俣病が報道されたのも、

67　日本科学技術ジャーナリスト会議編『科学ジャーナリズムの世界』化学同人、２００４年、ｐ98

この時代である。「科学ジャーナリズム」らしきものが、日本の出版・新聞界に立ち上がった。

日本科学技術ジャーナリスト会議編の『科学ジャーナリズムの世界』によると、１９５７年は、ソ連が人工衛星スプートニクス一号を打ち上げ、驚いたアメリカがアポロ計画を推進し、宇宙開発競争が激化したという。国内では、高度経済成長下で公害問題が深刻化した。国策の下での重化学工業重視が、全国各地で深刻な公害を生んでいることが明らかになり、科学神話に対する疑念が生まれた。多くの「科学ジャーナリスト」や学者が、科学技術者の責任や、科学技術政策について論じる風土が生まれた。72年にはローマクラブが『成長の限界』を出版、ストックホルムでの国連人間環境会議、80年の環境アセスメントの実施、モントリオール議定書（特定フロン規制）、京都議定書（地球温暖化）など、グローバル化する科学技術に由来する諸問題に、科学ジャーナリズムの活躍が期待されるようになった。朝日新聞社記者の石弘之が岩波書店から地球環境問題に関する新書を多数出版して、「科学ジャーナリズム」の必要性が認識されたのもそのような時代を反映している。

第三回の科学雑誌ブームは80年代初めに到来した。81年には「ニュートン」「ＣＯＳＭＯ」「ポピュラーサイエンス」、82年には「オムニ」「ウータン」「クオーク」などが創刊された。これらの科学雑誌は、「ニュートン」を除いて殆ど廃刊されており、それに取って代わるかのようにパソコン雑誌の創刊ブームが到来した。[68]

１９９４年７月に日本科学技術ジャーナリスト会議[69]が結成され、２００２年には大手紙科学部記者などの有志による、科学ジャーナリスト塾がスタート、２００５年には、早稲田大学政治学研究科に「科学技術ジャーナリスト養成プログラム（略称：ＭＡＪＥＳＴｙ）」[70]が設立され、５年の期間後にジャーナリスト養成コースに発展的に解消された。同コースの推進は元毎日新聞記者の瀬川至朗教授等が担い、コースのアーカイブによると、科学技術ジャーナリストに必要とされる５つの要素は、科学技術の理解、ジャーナリズムとメディアの理解、実践的スキル、現場主義、建設的批判精神だという。しかし、多メディア状況の中で、新聞の購読数は激減し、若者のテレビ離れも指摘される中、既存大手メディアの「科学ジャーナリズム」の信頼度は、２０１１年３月11日の福島第一原子力発電所の事故、２０１４年１月29日のＳＴＡＰ細胞騒動などの機能不全の露呈で、一層低下を余儀無くされたのが実情ではないだろうか。

２０００年に科学技術庁は、「社会技術の研究開発の進め方に関する研究会」を設け、その実行

68　日本科学技術ジャーナリスト会議編『科学ジャーナリズムの世界』化学同人、２００４年、ｐ99

69　https://jastj.jp/（２０１８．５．15）

70　http://www.waseda-j.jp/majesty/（２０１８．５．15）

組織として社会技術開発システムを設置、２００５年に改組してＲＩＳＴＥＸ（社会技術開発センター）[71]を設立した。同センターの研究開発プログラムの一環として、「科学技術と社会の相互作用」が設けられ、その中に早稲田大学政治経済学術院の瀬川至朗教授による科学技術情報ハブとしてのＳＭＣ（サイエンス・メディア・センター）[72]構想がスタートした。

ＳＭＣは一般社団法人として２０１０年10月に科学者とジャーナリストを結ぶハブとして発足し、データベースやサイエンスアラートという専門家による科学社会問題の提起などを実施している。既存のマスメディアの補強も不可欠であり、ＳＭＣは一定の役割を果たしていると言えるだろう。

3．公害の時代における科学ジャーナリズム

著者は、水俣病の発見から対策が講じられるまでを辿ることで、科学情報過程を構造的に明らかにすることを目指し、社会システムを変動させるためには、どのような広義のコミュニケーションが制度的に必要であるのか、タルコット・パーソンズの社会システム論を援用しながら提案してきた。

71　https://ristex.jst.go.jp/（２０１８．５．15）
72　http://smc-japan.org/（２０１８．５．15）

図１　AGIL 図式（著者作成）

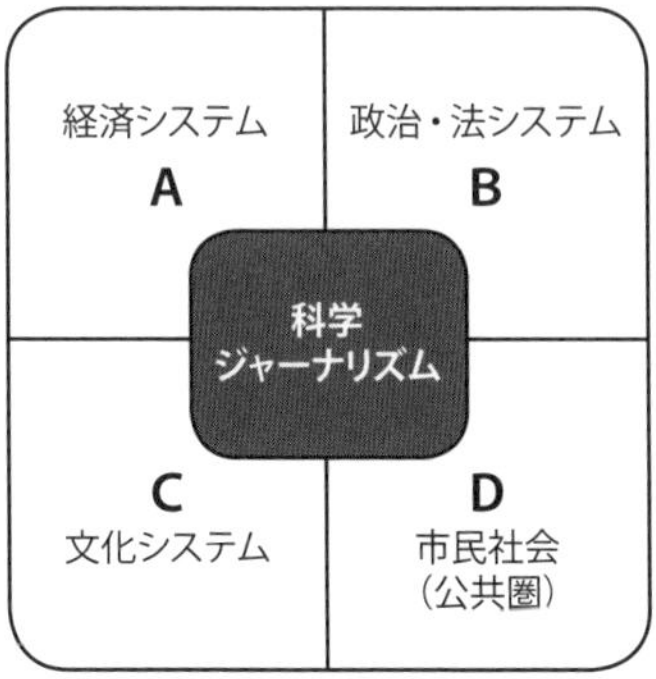

図２　科学ジャーナリズムが媒介する
社会システムのモデル（筆者作成）

パーソンズが『政治と社会構造』（１９７３）の前後から用いるようになったＡＧＩＬ図式（図１）は、社会的システム存続の機能的要件をまとめたものである。パーソンズはＡＧＩＬの機能要件が、社会システム一般の機能要件を網羅していると考えて、この図式にもとづいて社会システムの変容や維持のプロセスを分析することを提唱した。科学知と社会の相互関係を分析する際に、科学者と社会という区分がなされることが多い。最近では、複雑系というように、科学者と様々な社会の構成要素とのネットワーク的な相互関係として、科学知と社会の関係を捉える流れもある。しかし、そのような分析では、産学協同や産学官の協同という今でもかなり有効な視座を生かすことができない。産学官の産は経済システム、官は政治・法システム、学は科学者とすれば、この図式を使った分析は、社会が複雑化した現在でもかなりの有効性があると考える。市民社会と政治システムのコミュニケーション、市民社会と経済システムのコミュニケーション、市民社会と文化システムのコミュニケーション。まずは、これらのシステム間のコミュニケーション過程に「科学ジャーナリズム」がどのように作用しているか、あるいはしていないかについて分析したい。

また、社会システム論に関しては、社会を全体としてみる理論は個々人の実存的な意味について問えないとの批判も受けている。ルーマンは『社会システム論』で、「実存する人間に取っての意味が従来の社会システム論には不在」だと指摘した。ルーマンによれば、世界とは、現実に体験できる事柄だけでなく、それを超えた可能性からなる複雑なものだという。世界は不確実なもので、これを確かなものとして捉えるために、人間は意味によって世界を秩序づける。これがルーマン社会学の主要概念である「複雑性の縮減」と呼ばれる現象である。ルーマンは、社会システムは複雑性の縮減を行う相互のコミュニケーションとして存在し、複雑性の縮減を前提として初めて個々人の行為やアイデンティティーが成立すると考えた。すなわち、市民社会を構成する個々人の実存によって、社会が存立を変えていく過程としてのコミュニケーションを考慮することが必要であることが分かる。

また、ハーバーマスは『コミュニケーション的行為の理論』において、現代社会では科学技術が客観的に体系化され、目的合理性について科学技術体系は絶対的根拠を持つとした。あらゆる政治行為の価値は、目的合理性について科学的あるいは技術的に正当か否かの判断抜きには成立せず、イデオロギーが何らかの制度を社会に確立する際に、目的合理性に合致しているかどうかということが大きな影響を持つとする。

そして、目的合理性が支配的な観念となった社会では、人間疎外が生じ文化的な人間性は否定され、人間行動は目的合理性に適合的なように物象化され、目的合理性が存立の根拠である政治システム・経済システムが生活世界を植民地化すると指摘している。科学知は、生活世界を植民地化する目的合理性の根幹をなす知であると考えられている。科学知そのものが、果たしてハーバーマスの考えるような知であるのか、トーマス・クーンの科学革命[73]の観点から言えば、批判はあると思われるが、現代社会において通常は科学知というのは客観的に正しいとみなされることが多いことは事実であろう。

主著の一つである『公共性の構造転換』では、公共性は歴史的に「話し合い」から成立してきたことを論じて、システム的な目的合理性からの「コミュニケーション的転回」を説く。つまり、相手と私を対等ととらえた主体間の「コミュニケーションの質」が重要なのだとする。「言葉」を使って分かり合える可能性がコミュニケーション的理性にはあり、システム的な合理性に支配された社会を、合意によって対話的な関係性へと変革する必要性があるとする。ハーバーマスは話し合いによって、

73　トーマス・クーン『科学革命の構造』みすず書房、１９７１年

生活の舞台（生活世界）を基本とする社会関係を発達させることが必要であるとしている。ハーバーマスは人々の連帯、ネットワーク、あるいは、自発的結社（アソシエーション）に期待を寄せている。言葉によるコミュニケーションの限界を指摘する批判は多いが、逆に暴力なくして社会変革はいかにして可能かと考えれば、ジャーナリズムや議会での討議、そして人々のコミュニケーションによる連帯以外に、何の可能性があるのかとの返答が可能だろう。

このように社会システム論は、ルーマン・ハーバーマスによって批判され、主体的な個人のコミュニケーション的行為によって、意味づけられ編みなおされるものであると論じられてきている。そこで、ルーマンの社会システムを、システム間のコミュニケーションとして変化していくものと見なし、その編みなおしの根幹に市民社会の公共圏の個々人が存在するというモデルを提唱し、科学知をめぐるコミュニケーションと、社会システムの変革として捕らえて行きたい。加えて、社会現象がそれぞれのシステムに複雑性の縮減をもって、凝集していく過程を政治・法システムにおける社会現象の立法化とか、文化システムにおける価値観の醸成などとして捉えて行きたい。そうすることで、社会システム論への批判を吸収しつつ、科学情報過程として、どのような偏りが存在するのかを分析でき、どのようなシステム間のコミュニケーションが必要なのかといった提言を行うための、社会の中の科学情報過程を俯瞰できる視座が獲得できると考える。

以下、科学情報過程を分析するために図2に基づいて考察を加えたい。「科学ジャーナリズム」を媒介とするマトリックスでBのコミュニケーションは、国家の科学研究予算や教育、国の科学技術政策などへの批判や承認になる。また、法システムにおいては、市民社会が公害防止の裁判や立法、選挙などを通じて政策等をコントロールしようとする。立法や司法は元来、保守政権の番犬ではなく、市民社会の福利厚生の向上や人権の尊重の観点からなされるべきものであり、現在の日本社会の司法システムは、行政府寄りであるのは疑いない事実であろう。しかし、このような変動に際し、「科学ジャーナリズム」が媒介になることが想定される。水俣病では、熊本日日新聞が奇病を報告してから、新聞社の科学部が未整備であったため、[74] 支局や社会部などが報道を担った。早くからチッソの工場排水が原因ではという見方があったが、マスメディアは解明を遅らせるような学者の発言や、政府の見解を垂れ流したために、被害が拡大したことは否めない。[75] 今で言う、調査報道のような動きは、水俣病の初動においては存在しなかった。「科学ジャーナリズム」は、コミュニケーション過程の担い手になるには、まだ未成熟であった。

74　朝日新聞社に科学部ができたのは１９５０年。

75　http://www3.kumagaku.ac.jp/minamata/wp-content/uploads/2014/09/7221bd643bcee087c8a3a89168a47cfc.pdf#search=%27%E6%B0%B4%E4%BF%A3%E7%97%85%E3%81%AE%E5%A0%B1%E9%81%93%27（２０１８．５．15）野上隆生（朝日新聞社）の講演より。

その中で、出版メディアは石牟礼道子の『苦海浄土』[76]を掲載、原田正純を始めとする熊本大学医学部の調査[77]や、学生や多くの社会人たちの市民運動などの高まりを受け、国会は公害対策基本法の制定し、患者の救済に乗り出した。また、多くの弁護士が参加し、市民が裁判を行う患者を支援した。また、文化システムが、市民社会（公共圏）の世論を喚起し、公害企業への批判を強め、また国会での野党議員の発言力が増していった。

このような、社会の各システムの連動により、化学物質による環境汚染である公害は、日本国内において沈静化していった。次第に、ジャーナリズムも水俣病の原因究明と裁判などの報道を積極的に行うように変わって行った。ジャーナリズムが法・政治システムの対応の遅れに加担し、システム間のコミュニケーションをむしろ阻害し、真相解明や変革を阻害、いわば癒着した産学官と同一の価値観を持っていたため、システム間のコミュニケーションの原動力になったのは、むしろ市民運動という不定形の市民社会の動きであったと考えられる。

日本のマスメディアは、各省庁に記者クラブを持ち、省庁の発表する情報を大きく扱うことで知られている。政府からの情報は、信頼できる情報として扱われ、新しい政策や社会変化を読み取れ

76　1960年より雑誌連載を開始。
77　1961年より疫学的調査に入った。

る統計資料などは、一面などにトップニュースとして扱われることも多い。省庁は日本の新聞社にとって重要な情報源であり、発表ジャーナリズムなどとも呼ばれ、批判の対象にもなっている。省庁の役人の発言も重要な情報源として扱われ、記者は様々な部署を回り、情報を集める。熊本県の水俣市というローカルな地域の、漁業関係者や熊本医学部の医師の調査は、大手紙にはニュースソースとすら写らなかった。そして、水俣病の被害は拡大して行った。朝日新聞記者の野上は「４本社制の壁が立ちはだかり、東京本社紙面に載せられず、政治や行政を動かす東京（永田町と霞ヶ関）に、地方の切実な現状を訴える記事を届けることができなかった」[78]と総括している。

そして、これと連動した形で、Ａのコミュニケーションが存在する。今日では、企業が民間研究所や大学研究者と連携して新製品を開発したり、社会貢献度の高い活動を行い、市民社会へと広告したり宣伝したりするなどの行為である。戦後日本社会では、このコミュニケーション過程は未成熟であった。戦後の重化学工業に傾斜した国の産業政策により、公害を撒き散らす企業は、日本の産業振興の花形であり、周辺住民への被害は無視された。経済学でも、公害という問題の扱いは定まっておらず、外部不経済という概念も一般化せず、効率よく工場が生産するためなら、住民や環境への

78　http://www3.kumagaku.ac.jp/minamata/wp-content/uploads/2014/09/7221bd643bcee087c8a3a89168a47cfc.pdf#search=%27%E6%B0%B4%E4%BF%A3%E7%97%85%E3%81%AE%E5%A0%B1%E9%81%93%27（２０１８.５.15）野上隆生（朝日新聞社）の講演より。

被害は、甘受すべきだと思われていた。海や川や大気に汚染物質を垂れ流しても、大量の水や空気に拡散されて被害はなく、自然環境はいわば無限だと見なされていた。

ジャーナリズムは当初、企業責任を追及しなかったが、公害問題が深刻化し、全国で死者や被害者が続出し、市民運動がスタートし、公害問題の構図が明らかになっていくのに従って、次第に、企業や政府の責任を問う報道に変化していった。[79] 企業は政府与党と組んで、これらの動きを妨害しようとしたが、60年代の公害の時代では、市民運動や野党議員などの議会へのコミュニケーション、被害者たちの裁判を通じたコミュニケーション、新聞や出版ジャーナリズムの批判報道を通し、法規制で企業活動がコントロールされるようになっていった。

環境の時代に突入し、汚染物質の除去技術なども向上し、企業はエコ企業となり、マスメディアへの宣伝活動を重視し、企業市民としての評価を気にするようになっていった。フィランソロフィーや地域貢献など、消費社会の中で市民社会への貢献が重要視されるようになり、このコミュニケーション過程の役割が大きく変わった。[80] テレビのコマーシャルなども、いかに自社が環境に優しく、市民社

79　山腰修三『水俣病被害者の「救済」をめぐるメディア言説の分析―１９６８年～１９７３年の全国紙の報道を事例として』メディアコミュニケーションＮＯ．63、ｐ45～ｐ52、２０１３年

80　http://www.philanthropy.or.jp/aboutus/history/（２０１８．５．15）１９９０年頃から本格的な活動を開始している。

会に貢献しているかを積極的にＰＲするようになった。ＮＰＯやＮＧＯだけでなく、国家も税や補助金など様々な規制で経済システムをコントロールすることを試みている。工場の海外への移転や、熱帯雨林などの環境破壊など、経済システムの環境への悪影響が完全になくなった訳ではなく、返ってグローバル化の中で、国家を超えた規制が行いにくくなっているという懸念がある。

また、国家はグローバルなアクターとして軍事同盟を結んだり、核拡散防止条約など国際的な取り決めを行い、戦争を遂行したりすることさえある。その中で、科学技術の粋を集めた軍需産業の活動は、国家機密としてブラックボックス化している。国連やノーベル平和賞などの活動もコントロールの利き難いこのような動きに対し、何らかの制御をかけていこうという活動の一環であろう。

Ｄのコミュニケーションは、市民社会・生活圏への情報提供である。現在行われている大学の研究者によるサイエンス・コミュニケーションやサイエンスカフェと呼ばれる活動はここに焦点を当てたものと考えられる。水俣病に関しては、初動こそ機能を果たせなかったが、公害問題の構図や加害企業が特定されていく中で、ジャーナリズムが公害の被害を報道して市民社会に情報を伝えることで、原因究明や被害者の救済、市民活動のバックアップを行うことが増えて行った。[81] 市民科学者[82]を志向

81　山腰修三『水俣病被害者の「救済」をめぐるメディア言説の分析―１９６８年～１９７３年の全国紙の報道を事例として』メディアコミュニケーションＮＯ．63、２０１３年、ｐ45～ｐ52
82　市民科学者は、高木仁三郎の提唱した科学者のあり方。『市民科学者として生きる』岩波新書、１９９９年。

した大学研究者たちが、マスメディアに発言したり、政策を批判したりして市民社会の公害への関心を高めた。先にも述べたように、公害時代の科学者の中には御用学者が多く、初期は公害問題を封じ込めようという動きが大きかったが、次第に心ある学者たちが企業や政府批判も行うようになり、そのような活動が、市民社会の意識を啓発していった側面が大きい。市民社会への科学知の伝達は、単なる、最新の科学技術を知ってもらうだけの、今日のサイエンスカフェとは社会的な志向が異なっていたことは確かである。

またCのコミュニケーションは、文化的なシステムへのジャーナリズムの関与である。水俣病に関しても、石牟礼道子の『苦海浄土』や土本典昭などによる多くのドキュメンタリー映画、ユージン・スミスの写真集『水俣』、テレビ番組や教育など多くの影響を市民社会に与えた。しかし、石牟礼道子は第一回の大宅壮一ノンフィクション賞にノミネートされながら受賞を辞退するなど、既存のマスメディアとは一線を画していた。市民運動の中から生み出された公害の時代における「科学ジャーナリズム」の母体となった諸活動は、システム間のコミュニケーションにより課題を解決することに一定の役割を果たしたと言えるだろう。これらのジャーナリズムは、マスメディアに属するジャーナリスト以外の書き手や映像の作り手、カメラマンなどによって担われていた。マスメディアの社員である科学ジャーナリストたちは、このようなジャーナリズムによって、自らのあり方を省みることが少なく、以降もメルクマールになる「科学ジャーナリズム」は、後述の出版メディアによって担われることが多かった。

また、この時代は、学園紛争の嵐が吹き荒れ、多くの若者が少なからず左翼的な思想に影響を受けた。資本主義・帝国主義により、市民社会は搾取・支配されているという構図で、産官学の癒着を批判する言説が目立った。大学教員にも、このような動きに呼応した学問を志すものもおり、市民運動もこの中で活性化していった。左翼やリベラルな知識人が政府や産業界を批判することも多かった。

4. 福島第一原子力発電所事故後

対して福島第一原子力発電所事故に際しての「科学ジャーナリズム」はどのように機能した、あるいはしなかったのだろうか。まず、Ｂのコミュニケーションについて考察したい。政治システムの情報は、他のシステム、特に市民社会に伝達されなかった。大手紙記者は、政府や東京電力の発表を「大本営発表」するだけで、正確な情報を市民社会に提供しなかった。政府が隠している情報を、しっかりと調査追及したり、暴いたりする作業を怠った。[83] 確かに、政府の発表した内容が、誤報の危険

83　瀬川至朗『科学報道の真相―ジャーナリズムとマスメディア共同体』ちくま新書、２０１７年、ｐ78

を犯さないための唯一の安全な情報であると新聞社やテレビ局が判断したであろうことは、想像に難くない。福島第一原子力発電所の事故直後の報道の大手紙のネタ元がほぼ、政府と電力会社、いわゆる原子力村であり、「炉心融解」などの言葉が使われず、事故を矮小化して報道していたことが[84]、瀬川至朗により分析されている。政府が情報を隠し、ジャーナリズムが機能しなかったことにより、多くの福島県民が避けられたはずの被爆に晒された。このような発表ジャーナリズムの姿勢は、産官学の癒着した「原子力村」の住人に科学ジャーナリストも納まっているとして多くの批判が集まった。多くの市民が、マスメディアの科学ジャーナリズを見限って、ネットなどの情報を頼りにするようになっていった。水俣報道の初期に起きた現象と同じことが繰り返された。科学部などが設置されて久しく、科学欄が常設されるなど、科学の時代に対応した紙面を展開していたとしても、「科学ジャーナリズム」は過去の失敗に学ぶことがなかったと言えるだろう。

フクシマ後も軌道修正されることがない国策としての原発推進に対し、マスメディアの多くは従来の政府や都道府県、電力会社、裁判所の発表を後追いしているだけに見える。福島第一原子力発電所の汚染水問題、廃炉に向けた動きに関しても、報道は沈静化しており、深刻な汚染が刻々と環境に垂れ流されていることへの危機感が欠落している。その中で、新聞の購読部数やテレビの視聴率の

84　瀬川至朗『科学報道の真相―ジャーナリズムとマスメディア共同体』ちくま新書、2017年、p136

低下が加速しており、多くの政府与党や原発に批判的な市民は、最早マスメディアを信頼していない。若者の新聞離れは深刻で、インターネットにまだ産官学を批判する力が育っていないとすれば、従来のマスメディアが細々と果たしてきた権力の監視という機能をこの国のメディアは失いかねない。

次にＡのコミュニケーションについて考察したい。福島第一原子力発電所を運営しているのは東京電力であった。政府は民間企業である東京電力について一心同体の動きを見せた。科学者たちも、政府と東電の運命共同体を援護する発言を繰り返した。危険ではないとの発言は、その後、何度も覆されていった。原子力村の科学者たちが、東電を援護するかのような発言を繰り返し、その「大本営発表」をマスメディアが報道したことについて、多くの大手マスメディアは批判や検証を行わなかった。朝日新聞は震災後、自社の報道姿勢を反省し、総力を挙げて『プロメテウスの罠』などの特集を連載した。この特集は日本新聞協会賞、石橋湛山記念早稲田ジャーナリズム大賞を受賞している。また、電通などの広告代理店の圧力があり、テレビ局などは原発報道を歪めているという指摘が、元広告代理店社員より新書として上梓されるなど、産官学の癒着構造に関しては、小口なロットで情報発信できる出版メディアの活躍が目立った。[85] インターネットには、そのような金銭による情報操作に関する批判的な情報が蔓延していった。しかし、ネットでの取材力は、個人が担うことが

85　本間龍『原発プロパガンダ』岩波新書、２０１６年

多く、資金的にも能力的にもマスメディアとは差が大きい。従って、ネット情報は玉石混交であり、情報の信憑性を疑うような内容の記事も少なくない。資金力のある企業がネットでの情報操作の有効性に気づけば、ネットの情報も原発推進ネタで占拠される恐れもある。原子力発電に対して批判的な言論人や知識人、タレントなどは、メディアに露出することが減っていった。

Cのコミユニケーションについては、テレビ・新聞といったマスメディアよりも、ロットの小さい出版ジャーナリズムが活躍した。原子力発電に懐疑的であった学者や、科学ジャーナリスト、市民活動家などの書物が大量に出版された。新聞社には、発表ジャーナリズムに加えて、客観報道という神話が残っており、原子力発電所の事故に批判的な市民の情報への渇望や政府への怒りに応えることができなかった。被災地への風評被害報道については、比較的スムーズになされた。「ある数字以下は安全です」という政府のイデオロギーに反しない上に、被害者である被災地のためというお題目も存在したからであろう。教育の現場では、原子力について問い直すような教育は偏向教育と見なされるという風潮があり、また教育現場も原発事故を理解できる基礎的な科学教育に取り組んできたとは言い難い。日本環境教育学会などは、事故を受け原発教育のあり方を見直したり、授業案を作成したりと積極的に取り組んだ。[86] ただ、それらの授業案がどれだけ実践されたかについては数値デー

86 http://www.jsoee.jp/npp-and-ee（2018.5.19）

タがない。そして、そのような授業実践などをマスメディアが取上げて全国的なムーブメントにしていくというようなことはなかった。従来の、政府与党の政策への批判は少数の野党が行い、市民は与党の政策を黙認し、流されていくだけという規定路線を歩んでいるようにも見える。

Ｄのコミュニケーションについては、インターネットを使った個人やＮＰＯによる情報発信が目立った。個人でガイガーカウンターなどを購入し、放射線量を測定したり、各地の観測点での情報を広く提供したりするサイトが目立った。もはや、科学ジャーナリズムというものを信頼しないという姿勢も見受けられ、市民による自衛のための情報共有という、新しい情報過程が生み出された。ネットジャーナリズムというと、マスメディアを補完する意味合いが強かったが、最早多くの市民にとってマスメディアという存在が、意味を失いつつあるのかもしれない。情報のクオリティから言えば、玉石混交であり、主観的なものも多いが、経済システムや政治システムに左右されない情報過程を市民社会が築きつつあることは確かだろう。市民社会が、原子力発電に対する政策に、システム間のコミュニケーションを有効に使って、対峙するような時代は来るのだろうか。公害の時代のような政治運動を含めた市民運動の広がりは、現役世代ではなく、学園闘争などを経験している高齢者を中心に組織されているように映る。

5. 社会システム論を援用した分析から見えた問題点

現代日本の「科学ジャーナリズム」の課題は多岐に及ぶ。少し考えても、瀬川至朗が挙げる「原子力村」ならぬ「マスメディア共同体」[87]の住人化したための市民社会との乖離。福島第一原発事故以来の信用の失墜。政策論なしの発表ジャーナリズム化、ネットジャーナリズムの勃興。客観報道という、両論併記で中立という神話から脱することができないことなどが挙げられるだろう。科学と社会の関係性、政府の政策や基幹産業の機密事項などをより深く、より高い視点で、調査・批判・検証、オルターナティブを提唱できるようなメディアが、社会へのインパクト力を増した科学の時代に益々必要になっていると思われ、果たして今のマスメディア主導の「科学ジャーナリズム」にそのような力があるのか、深刻な疑念が生じているのが実情だろう。

マスメディア以外で「科学ジャーナリズム」の役割を果たした出版物を概観してみたい。まず、公害の時代に、水俣病を告発した石牟礼道子の『苦海浄土』[88]が挙げられる。石牟礼は、谷川雁らの組織したサークル村の出身であり、第一回大宅壮一ノンフィクション賞を辞退している。有吉佐和子の

---

87 瀬川至朗『科学報道の真相―ジャーナリズムとマスメディア共同体』ちくま新書、2017年

88 『苦海浄土――わが水俣病』として講談社から1969年に刊行されている。

『複合汚染』も農薬や食品添加物などの危険性を訴えた。[89] これらの作家は、客観・中立報道に縛られる新聞記者が報道できない深層を、時に主観的に出版ジャーナリズムとして送り出し、ベストセラーになった。航空機事故を取材した柳田邦男の『マッハの恐怖』[90]、立花隆の脳死臓器移植に関する一連の著作物なども「科学ジャーナリズム」を補完する内容だった。石弘之[91]の地球環境問題シリーズも新書として出版され、大きなインパクトを与えた。また、高木仁三郎の原子力に関する一連の著作や、原子力資料室などの活動も重要だろう。ＩＴ関連では、村井純などのインターネット業界の主導者や西垣通など大学教員も啓蒙的な活躍を行った。速報性を重視する新聞記事と、これらの著作を比較するのが必ずしも妥当だとは思わないが、社会へのインパクトの大きさには大きな差がある。新聞記者と比較すると、圧倒的に取材力や、知識の深さ、情報量だけでなく企画力の差がある。出版物は、個人の著作なので、新聞社の中立報道などの規範に縛られず、大企業や政府の政策に反する内容であっても刊行が可能というメリットがある。欧米の新聞記事は、署名記事が一般的であり、その記者の価値観で書くことが可能だが、日本の新聞記事の多くは無記名であり、不偏不党や中立

89　１９７４年10月14日から１９７５年６月30日まで朝日新聞に連載され、１９７５年に新潮社から単行本として刊行された。

90　第三回大宅壮一ノンフィクション賞受賞。１９７１年にフジ出版から刊行。当事、柳田はＮＨＫの遊軍記者。

91　１９６５年から１９９４年まで朝日新聞社記者。

などの企業倫理に縛られている。訴訟リスクもあり、特定の大企業への批判を難しくしている。
福島第一原子力発電所の事故を受け、朝日新聞社では、特集企画が組まれ、総力を結集して信頼回復に努めた。しかし、産官学が密接に絡んだ今日の科学報道において、科学者などの専門家の研究を、市民に分かりやすく伝える役目を果たすというレベルの技量では、とてもではないが、市民社会が必要とする科学情報を伝達することはできないだろう。

原子力発電を巡る情報は、科学だけではなく、司法や行政、政治や企業戦略など多岐に及ぶ。それらを政府与党や官僚の思惑を超えて批判検討、政策提言するためには、マスメディアはシンクタンク的な専門性を持つ必要がある。マスメディア本体でそのような機能を持てないのであれば、ＳＭＣなどのように大学教員やＮＧＯ、ＮＰＯなど人的なネットワークを組織し、自らのブレインとして機能させる必要があるだろう。各システム間のコミュニケーション過程に意識的であるだけでなく、相互のコミュニケーション過程を経て、どのような社会をデザインするかについても、市民社会に提言できるだけの力を持たない限り、複雑化し、グローバル化し、高度に専門化した科学技術の時代に、期待される役割を果たすことはできない。

前述の日本科学ジャーナリスト会議[92]では、科学ジャーナリストの養成講座「科学ジャーナリスト

---

92 https://jastj.jp/（２０１８．５．19）

塾」を毎年実施している。また、早稲田大学大学院も、若い科学ジャーナリストの養成を志してきた。しかしながら、カリキュラムを見ても、現代の科学技術がもたらす諸現象に肉薄する力を持った科学ジャーナリストを養成できるかは疑問だ。今の新聞記者レベルに若者を到達させるだけでは、それだけでも大変なことだとは思うが、複雑高度化する科学の問題点に対峙するには相当な困難を伴うだろう。現役の新聞記者や雑誌記者が、まとまった期間大学やその他の専門機関で学び、スキルアップを図るなど業界を挙げた取り組みがなされない限り、日本の「科学ジャーナリズム」の水準を高めることは難しいだろう。

週間金曜日など、現在のマスメディアが扱わない報道を担うジャーナリズムを作り出そうという動きもあったが、若い購読者を確保することが難しい状態である。欧米のように市井のフリーライターのうち取材力、執筆力のある人材を大手紙が正規や年俸制で採用するような、そのような人材登用システムを併用する必要があるのではないだろうか。現在のマスメディアの記者たちは、高給取りの会社員という側面を持ち、あまりにも多忙であり、社会へのインパクトを増して行く科学技術を問うようなジャーナリズムを担うことは難しいと思われる。この論文で提唱している科学情報過程論の視点で、システム間のコミュニケーションを担う要の役割を果たすべきであることを考え併せると、もう一度、日本社会の科学ジャーナリズムについて考え直す必要があるだろう。

前述のＳＭＣ（サイエンスメディアセンター）のような科学者とジャーナリストの情報ハブは必要

なのは言うまでもないが、何が社会問題なのかについて、市民サイドと旧来のマスメディアの間に認識の乖離が存在している現状で、どれだけ市民社会に貢献できる存在になるのかが問われている。SMCの当初の目的が、「科学技術の発展のため」「研究者とメディア関与者の出会いの場創出」（RISTEXホームページより）であるため、現行の科学ジャーナリズムの在り方への問いが欠落するのはやむを得ないだろう。

それでは、科学ジャーナリズムはどのような機能を果たすことが求められているのか、公害の時代とフクシマ後の社会システム論を使った分析を通して、提言していきたい。まずは、Aのコミュニケーション過程であるが、企業が市民社会に対して悪影響を及ぼす活動をしたのであれば監視・批判することが不可欠である。情報漏えい、環境汚染、不適切なロビーイングなどをチェックする役割は不可欠だろう。逆に、企業が環境問題に対して貢献する活動や新技術・新製品を開発したのであれば、積極的に報道して企業イメージを向上させ、企業にインセンティブを与えることもできるだろう。環境破壊に関与しながら、活動を是正しない企業に関しては、批判活動を継続する必要があるだろう。企業活動がグローバル化する中、国境を超えたNPOなどとも連携して、経済システムを監視・批判、方向修正をさせていく必要があるだろう。

次にBのコミュニケーション過程に関してはどうだろうか。政府や省庁の発表ジャーナリズムに堕すのではなく、政府や省庁の政策を批判し、政策を提言するだけの力を持つ必要があるだろう。裁判に関しても、ただ判決文を紙面化するだけではなく、様々な学者や司法関係者の見解を掲載し、どうしてそのような判決が出たのか、日本の司法のあり方も含めて市民に考えさせるような情報提供をしていく必要があるだろう。科学に関する政策の歴史、裁判の歴史、学説などに通じ、そのようなビジョンを持てる研究者や実務家のネットワークを構築し、世界の科学裁判の動向を把握し、科学情報の開示を求める訴訟などの動向も含め、市民社会の新しいニーズを拾い上げて、政策に繋げる。そのような役割を果たすべきだと思われる。

では、Ｃのコミュニケーションはどうだろうか。一つは、大学との連携だろう。研究者や学生と連携して、新しい研究を掲載したり、科学政策に関する研究知見を報道したり、科学ジャーナリズムの発展を促すようなネットワークを組織したり、市民への科学知の伝達のあり方を研究・開発するようなシンクタンクや研究所、科学ジャーナリスト養成機関を大学や専門学校と連携して作ったり、科学報道に関する補助金や助成制度を設けるように働きかけたり、新しいメディアを開発したり、海外の研究者やジャーナリズムと連携したりすることは、不可欠だろう。サイエンスカフェや科学コミュニケーション活動と連携したジャーナリズムも志向すべきだろう。

最後にＤのコミュニケーションはどうだろうか。市民社会と科学ジャーナリズムの連携が不可欠だと思われる。ＮＰＯやＮＧＯ等と連携して、市民への公開講座、フォーラムなどを実施する必要があるだろう。子どもたちに科学に関心を持ってもらったり、科学に批判的な視野を養ったりすることも大切だろう。市民社会の新しいニーズや労働環境と科学技術の関係などにもアンテナを高くする必要があるだろう。市民社会と科学の関係のあり方について、常に情報提供し、提言していく必要があるだろう。

それらの情報過程を統合して、市民社会がどのような科学立国を目指すのかの決定に参画できるような仕組みを作る必要性があるだろう。日本国民だけでなく、世界各国に生きる人々の幸せにつながるような政策提言、ビジョンの提示を読者や視聴者ができるようなエンパワーメントに繋がる、そのような科学ジャーナリズムが求められている。市民の幸せのための科学を志向し、科学ジャーナリズムを益々発展させないことには、日本社会だけでなく、世界の未来も危ういのが現状だ。そのことを深く理解し、自らを省みて、未来に向けて科学ジャーナリズムは歩んでいく必要があるだろう。

第5章

サイエンスカフェ、サイエンス・コミュニケーションと科学情報過程論

1. はじめに

日本における科学情報過程の課題を分析する中で、専門家と市民の架け橋として期待されている方策の一つが、サイエンスカフェとサイエンス・コミュニケーションである。日本でのサイエンスカフェは大学の教員が地域住民に自分達の研究を分かりやすく伝えることが多く、全国各地で行われるようになった。サイエンス・コミュニケーションはヨーロッパ発の新しい動きで、専門家と市民の架け橋として、いわば科学版学芸員あるいは学芸員補助のような性格のサイエンス・コミュニケーターが全国で養成され始め、サイエンスコミュニケーション協会なども発足している。これらの新しい動きの狙いはどのようなもので、どのような経緯を辿り、どのような効果があるのか、課題があるとしたらどのような点なのかについて社会システム論を援用して分析し、特に西欧諸国のものとの違いに着目して考察し、これからの科学に関する知見が、市民参画でなされるような情報過程のあり方について有効な方向性を示したい。

2. サイエンスカフェの取り組み

日本で現在、行われているサイエンスカフェは、大学等の研究者と中学・高校生や市民がお茶を飲みながら噛み砕かれた研究内容に親しむ機会となっていることが多い。中村征樹『サイエンスカフェ：現状と課題』（科学技術社会論研究．5、2008年）によると、最初のサイエンスカフェは、1998年にイギリスで開催された。これは哲学者マルク・ソーテが1992年にパリで始めたカフェ・フィロ（哲学カフェ）[93]にヒントを得ているという。イギリスでは、サイエンスカフェは、科学についてより深く知りたいと考える市民によって始められ、大学等のアカデミックな場所から、カフェ等の一般的な場所へ開催の場を移していった。

イギリスでは、科学理解増進委員会（the Committee on the Public Understanding of Science: COPUS）[94]が「市民は科学に対する理解が不足しており、より教化される必要がある」と考えたことも開催の一因となった。カフェで科学の話をする運動を、新聞記事は当初揶揄したという。しかし、サイエンスカフェは時代のニーズに即しており、ＢＳＥや遺伝子組換え食品、クローンテクノロジーなどの科学と科学技術がもたらす諸問題に対して市民の関心が高まっていった。

イギリスでは当初、このような活動の方針は、いわゆる欠如モデルの「大衆の科学理解（Public Understanding of Science: PUS)」だったが、双方向型の「サイエンス・コミュニケーション（Science

93　小林傳司『トランス・サイエンスの時代』ＮＴＴ出版、２００７年、ｐ27
94　小林傳司『トランス・サイエンスの時代』ＮＴＴ出版、２００７年、ｐ36～ｐ39

Communication: SC)」を経て、市民が科学政策にまで関与する「科学技術への公衆関与（Public Engagement in Science and Technology: PEST)」へと進化したという指摘がされている。同時に高等教育機関の教科としても認められるようになり、行政府の部門、研究機関などへと影響を広げた。後述の「欠如モデル」の情報過程が一方向であるのに対し、これらの科学イベントでは市民と専門家の対話を重視し、市民の能動的な参加を目的にしている。サイエンスカフェは、いまではイギリスの多くの都市で行われており、全国的なネットワークも存在する。

近年では、サイエンスカフェは、ビジネスの側面も持ち合わせており、イギリスでは、ゲストスピーカーが招かれ、テーマに沿った短時間の話題提供が行われ、休憩時間をかねたドリンクタイムが設けられ、１時間ほどかけて話題提供者と参加者、参加者同士の質疑、意見交換、議論を行う。フランスでは、話題提供者は３～４名招かれ、短い自己紹介が行われた後、休憩時間を置かずにディスカッションに入る。

日本では、２００４年に市民と科学者の相互理解を目的として京都市で始まったサイエンスカフェが最初とされている[95]。翌２００５年に、４月の科学技術週間前後から、さまざまなスタイルでサイエンスカフェが実施された。そのため、２００５年を日本における「サイエンスカフェ元年」と

95　https://ameblo.jp/kagaku/（２０１８．９．４）

呼ぶこともある。２００６年４月の科学技術週間では、日本学術会議の会員が話題提供者となって全国21か所でサイエンスカフェが行われ、日本におけるサイエンスカフェのさらなる普及に大きな影響をおよぼした。運営形態は、単発的なものから継続的なもの、草の根レベルのものから大学等の研究機関や自治体が主催するものまで多岐に及んでいる。

数あるサイエンスカフェの中で、公的な性格の強いものに日本学術会議の開催するサイエンスカフェがある。「日本学術会議サイエンスカフェ開催と登録についての御願い」[96]によると、２００４年に出された声明「社会との対話に向けて」で、日本学術会議は、科学者と市民の双方向のコミュニケーションを目指して「日本学術会議は自ら、科学に対する社会の共感と信頼を醸成するために、あらゆる行動を行う」とし、２００６年の科学技術週間に全国21箇所でサイエンスカフェを開催し、２００８年からは毎月第四金曜日夕方に文部科学省情報ひろばでサイエンスカフェを実施してきた。首都圏だけでなく地方でもサイエンスカフェを実施するため、２０１３年に日本学術会議と高知市が共催してサイエンスカフェを実施、２０１６年から全国横断サイエンスカフェをスタート、全国

96　http://www.scj.go.jp/ja/event/pdf2/cafe.pdf#search=%27%E6%97%A5%E6%9C%AC%E5%AD%A6%E8%A1%93%E4%BC%9A%E8%AD%B0%E3%82%B5%E3%82%A4%E3%82%A8%E3%83%B3%E3%82%B9%E3%82%AB%E3%83%95%E3%82%A7%E9%96%8B%E5%82%AC%E3%81%A8%E7%99%BB%E9%8C%B2%E3%81%AB%E3%81%A4%E3%81%84%E3%81%A6%E3%81%AE%E5%BE%A1%E9%A1%98%E3%81%84%27（２０１８.９.４）

各地で日本学術会議の講師に登録した科学者などを派遣しながら、サイエンスカフェを開催している。このような活動を広げるために、日本学術会議は科学コミュニケーターの育成などの必要性も図るとしている。サイエンスカフェ、サイエンス・コミュニケーションの国内での支柱の一つとなっている大阪大学の中村征樹は、欧州でのサイエンスカフェの特色として、グリーンピースを重視していることを挙げている。[97] 社会運動や政治活動などのノウハウを持った組織の重視は、日本ではあまり見られないものである。

3. サイエンス・コミュニケーションと科学技術コミュニケーション

サイエンス・コミュニケーションとは、科学に関わる情報のやりとりであり、広義には科学者同士の学術情報の伝達や学会発表、論文執筆なども含まれる。日本では一般化していないが、狭義では、科学者と市民とのコミュニケーションを指して、サイエンス・コミュニケーションまたは科学コミュニケーションと呼ばれるようになってきている。

サイエンス・コミュニケーション活動の基盤になるのが、１９９９年の世界科学者会議で採択され

97 http://actio.gr.jp/2009/01/12063137.html（２０１８．７．13）

たブダペスト宣言[98]である。文部科学省の翻訳[99]によると、宣言では「21世紀における科学の責務は『知識のための科学』に加えて『社会における科学、社会のための科学』である」としている。この会議が開催された背景には、地球環境問題がある。科学技術の負の側面に対しても、科学技術の適時・適切な利用なしには問題解決ができないものであり、科学界や産業、政府、国民が同じ場に立つことが必要であると考えられた。会議では21世紀のための科学を進める上での新たな責務として、「科学と科学的知識の利用に関する世界宣言」及び「科学アジェンダ―行動のためのフレームワーク」が採択された。

同宣言の前文には「科学は人類全体に奉仕するべきものであると同時に、個々人に対して自然や社会へのより深い理解や生活の質の向上をもたらし、さらには現在と未来の世代にとって、持続可能で健全な環境を提供することに貢献すべきものでなければならない。」との記述があり、さらに「今日、科学の分野における前例を見ないほどの進歩が予想されている折から、科学的知識の生産と利用について、活発で開かれた、民主的な議論が必要とされている。科学者の共同体と政策決定者はこの

98　１９９９年7月、国連教育科学文化機関（ユネスコ）と国際科学会議（ＩＣＳＵ）の共催によりハンガリーの首都ブダペストで開催された世界科学会議（ブダペスト会議）で採択された宣言。

99　文部科学省ホームページ（これからの科学技術と社会）http://www.mext.go.jp/b_menu/hakusho/html/hpaa200401/hpaa200401_2_014.html（２０１８．９．25）

ような議論を通じて、一般社会の科学に対する信頼と支援を、さらに強化することを目指さなければならない。」と表明、21世紀の科学の責務として、これまでの「知識のための科学」のほか「平和のための科学」「開発のための科学」「社会における科学と社会のための科学」という、4つの概念を打ち出した。「科学アジェンダ—行動のためのフレームワーク」は、宣言の内容を具体化するために、政府や科学者コミュニティ等の取るべき行動が示されたものである。

サイエンス・コミュニケーションという活動が始まる原点として、社会問題になり議論されたのがイギリスのBSE騒動である。小林傳司『トランス・サイエンスの時代—科学技術と社会をつなぐ』によると、1986年、イギリスで最初のBSE感染牛が確認され、その後、イギリス全土でBSEに感染した牛が発見されるようになった。1988年、イギリス政府はサウスウッド委員会を設置し、BSEが人間や動物にどのような影響を与えるのか検証した。翌1989年に、サウスウッド委員会は報告書を提出したが、そこでは「今後の見通しとして、BSE感染牛の発生は多くとも1万7000頭から2万頭」「人間への感染の危険性はありそうにない」などと事態を甘く評価した分析がなされていた。

サウスウッド委員会の報告書では懸念も表明されていたが、イギリス政府は、これをいわば安全宣言[100]として政府の対策の科学的根拠としたため、その後もＢＳＥ感染牛は増加の一途を辿り、１９９０年代初頭には年間３万頭に及んだ。そして１９９６年には、ＢＳＥ感染牛の摂取による、変異型クロイツフェルト・ヤコブ病の患者が確認された。従来のクロイツフェルト・ヤコブ病とは異なり、若年令で病気の進行の早い変異型で、治療法はなく、運動能力の麻痺や神経症状を伴って進行し、最終的に死に至る病である。患者の映像がテレビで報道されたこともあり、人間には影響はないと信じていたイギリス社会はパニックに陥った。また、イギリス以外でも患者が出現し、国際社会においても大きな問題となっていった。イギリス政府は１９９７年にフィリップス委員会という調査委員会を組織し、ＢＳＥ事件をめぐる科学者、行政の対応を検証した。科学者は、報告書とは異なる人感染に事実に直面し、感染症の拡大防止のために、科学者と市民とコミュニケーションを取る必要性を痛感し、サイエンスカフェやサイエンス・コミュニケーションの活動を実施するようになった。

　しかし、市民の科学知識や意識の欠如を強調し、一方的に理解を求める教条的な態度を取ったた

100　https://www.env.go.jp/policy/assess/4-5kensyu/pdf/theme/h19_kobayashi_text.pdf#search=%27%E3%82%B5%E3%82%A6%E3%82%B9%E3%83%83%E3%83%89%E5%A7%94%E5%93%A1%E4%BC%9A%27（２０１８．９．５）

め、そのような姿勢はブライアン・ウィン等の科学技術社会論学者たちから、「欠如モデル」[101]として批判されるようになった。以降、専門家と市民の間のコミュニケーションについて、学問の領域でも様々な研究がなされるようになっていった。実践の領域でも、科学的な理解だけではなく、市民の意識のあり方や参加、対話が求められるようになっていった。

日本におけるサイエンス・コミュニケーションの啓発のために組織された日本サイエンスコミュニケーション協会では、設立理念で「サイエンス、広い意味での科学をめぐる状況は新しい時代に入っています。これからの社会では、一人ひとりがサイエンスに関心を持ちながらその本質を理解し、自分なりにうまく活用するサイエンスリテラシーを養うことで、社会がかかえる課題に主体的に関与し、判断していくことが求められます。サイエンスは利便性だけでなく、精神的に豊かに生きるための糧、文化ともなりえます」[102]としている。

現代社会が直面している多くの問題の解決には、科学の知見を無視することはできない。従って、科学知にもとづく社会的問題の解決と、科学技術のあり方に対する社会的意思決定が重大な課題となってきている。科学技術を一般社会に還元するような問題についての決定には、行政や科学者だけ

---

101 科学技術が社会一般に支持されない理由は大衆の知識の欠如であると考え、専門家による正確な知識の啓蒙によって、無知な一般大衆からの科学技術への支持が得られるという考え方。

102 https://www.sciencecommunication.jp/association/purpose/（2018．9．25）

ではなく、一般市民も含めて議論し結論を出すべきである。科学者も無知な大衆に啓蒙するというわゆる「欠如モデル」から、非専門家である市民と協働して課題を解決していく方向に舵を切る必要があり、コミュニケーションの双方向性が求められるようになってきた。従来の大衆への啓蒙活動のように、市民の科学リテラシーを高めるだけではなく、科学についての認識・判断を市民から受け取り、科学者の社会的リテラシーを高めること、さらには、科学と社会の望ましい関係のあり方について、市民と科学者がともに考え、施策を決定していくことまでを視野に入れた活動が求められるようになってきた。科学時代の民主的市民社会における意思決定のためのコミュニケーション活動として、サイエンス・コミュニケーションが位置づけられているのだ。しかし、例えばサイエンスコミュニケーション協会の設立理念では、サイエンスは「精神的に豊かに生きるための糧、文化」と位置づけられているが、この感覚自体が、後述する西欧諸国とは異質な、日本独自の政治・経済から隔絶された「純粋理系」の縛りをその性格に有しているのではないかとも見ることができる。

また、日本には、サイエンス・コミュニケーションという名称が一般化される前に、政府主導で科学技術コミュニケーションという名称での活動が推進されてきた経緯がある。科学技術コミュニケーションとは、科学と技術にかかわる高度で専門的な内容について、社会全体で考えていくための活動で、それを担うのが科学技術コミュニケーターであり、社会と科学技術をつなぐ役割を果たすとされている。北海道大学では、２００５年に科学技術コミュニケーター養成組織であるＣｏＳＴＥＰ（科学技術コミュニケーション教育研究部門）[103]を立ち上げ、日本で唯一の科学技術コミュニケーション養成機関として、現在まで８００名近くの科学技術コミュニケーターを育成している。ＣｏＳＴＥＰの概要によると、科学技術コミュニケーターは、「科学技術の専門家と一般市民との間で、双方向的なコミュニケーションを確立し、国民各層に科学技術の社会的重要さ、それを学ぶことの意義や楽しさを効果的に伝達する役割を果たせる人」だという。

科学技術コミュニケーション活動の推進について、政府は基本計画に基づいて、科学技術の理解増進活動を中心に取組を強化してきている。[104]文部科学省によれば、図1に図示されているように、科学技術基本法制定後の平成8年度にスタートした第1期基本計画では、「科学技術に関する学習の振興及び理解の増進と関心の喚起」という項目を設けてその重要性を示した。同年秋には、科学技術振興事業団（現：科学技術振興機構）に「科学技術理解増進室」が設置され、「科学技術理解増進政策」の実施が本格的にスタートした。平成10年11月には、科学技術庁（当時）の科学技術理解増進検討会らの提言「伝える人の重要性に着目して」が取りまとめられ、インタープリター[105]の

103 https://costep.open-ed.hokudai.ac.jp/costep/（２０１８．９．４）
104 http://www.mext.go.jp/b_menu/hakusho/html/hpaa201101/detail/1311132.htm（２０１８．７．13）
105 科学者と市民の間に立つ仲介者。http://science-interpreter.c.u-tokyo.ac.jp/outline/（２０１８．９．25）

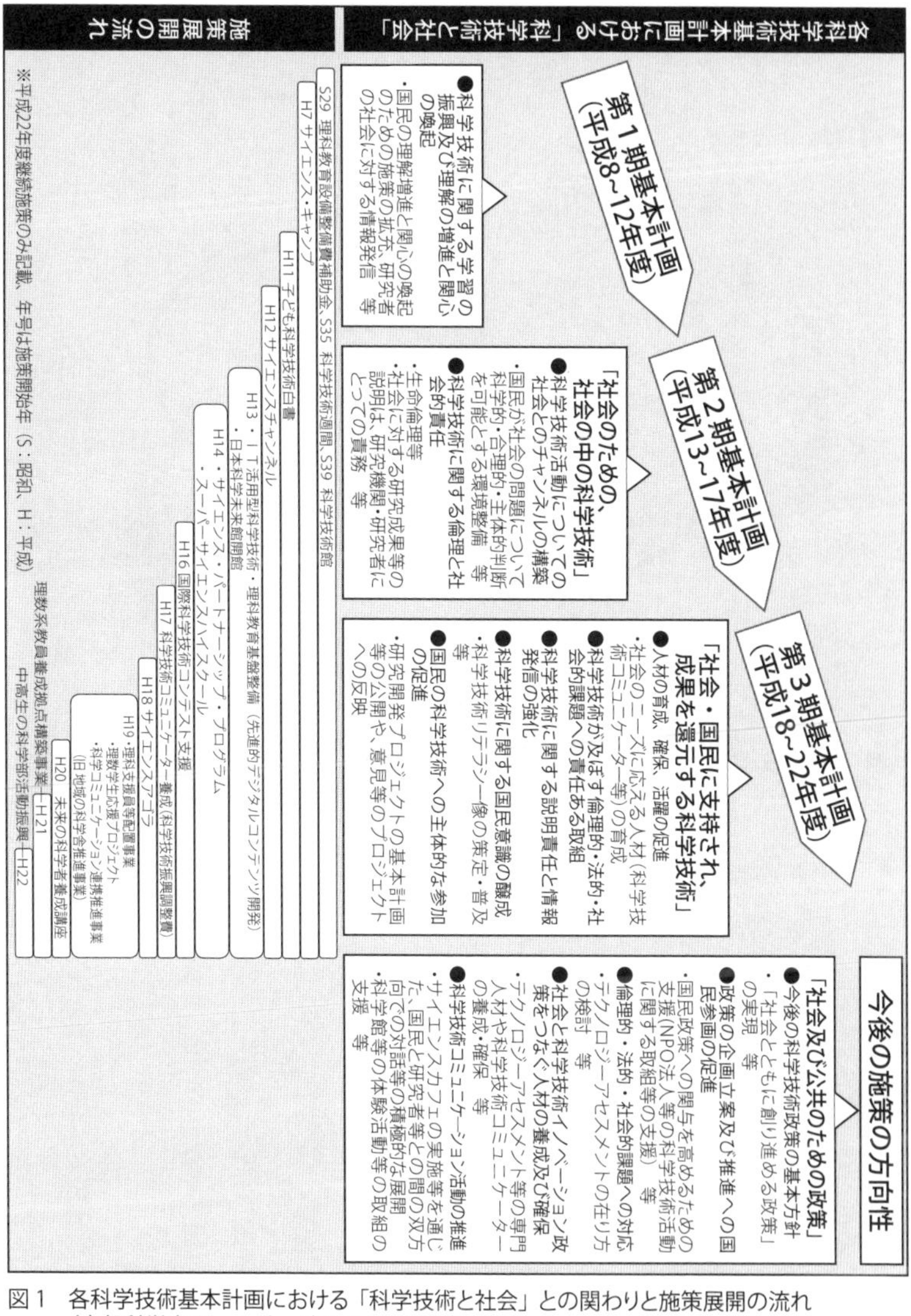

図１　各科学技術基本計画における「科学技術と社会」との関わりと施策展開の流れ
（文部科学省ホームページ をもとに編集部作成）

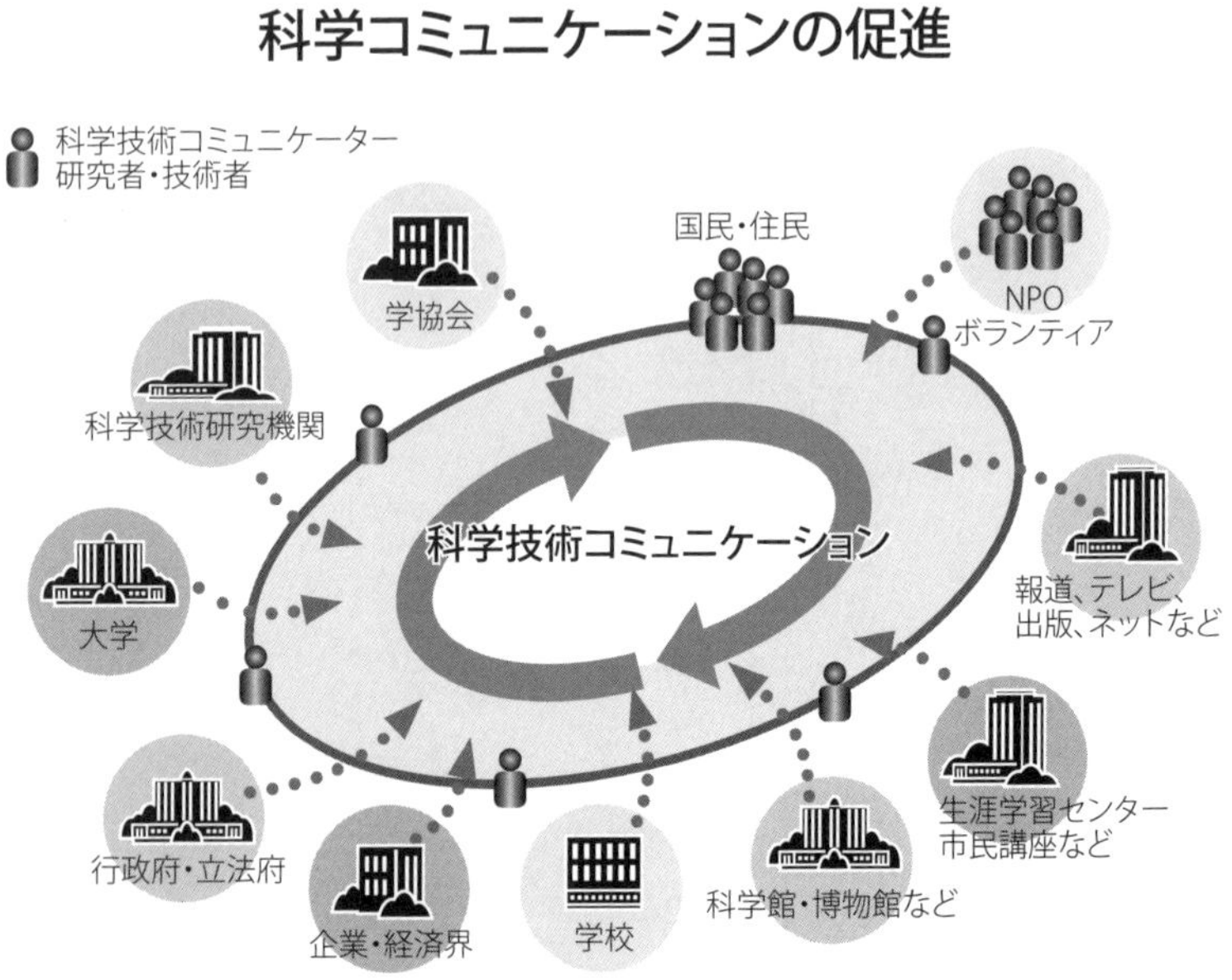

図2　科学技術コミュニケーションの促進
（文部科学省ホームページ をもとに編集部作成）

重要性、研究費の1％の理解増進のための配分などを提言している。

平成13年度からの第2期基本計画では、「社会のための、社会の中の科学技術」という観点に立ち、科学技術と社会とのコミュニケーションを確立する必要があるとして、「科学技術活動についての社会とのチャンネルの構築」及び「科学技術に関する倫理と社会的責任」という項目を設け、「説明は、研究者の責務」と明記し、社会との双方向のコミュニケーションの必要性を説いた。

平成16年7月、文部科学省科学技術・学術審議会人材委員会「科学技術と社会という視点に立った人材養成を目指して」と題する提言で、研究者、技術者だけでなく、知識を活用し社会へ還元する人材を養成することの重要性が提言され、平成17年7月、文部科学省の科学技術理解増進政策に関する懇談会（座長：有馬朗人）の報告書「人々とともにある科学技術を目指して」で、「社会のための科学技術」の実現のために、科学技術を分りやすく、双方向で伝える活動の推進、成人への科学技術リテラシー像の策定等が提言された。

第3期基本計画では、基本計画としてははじめて「社会・国民に支持される科学技術」として独立した章を設け、双方向のコミュニケーション等の重要性をうたうとともに、「国民の科学技術への主体的参加を促す施策を強化する」という新しい方向性も盛り込まれた。一連の流れの中で、国民に政府の取組について理解を求める一方向のコミュニケーションから、双方向コミュニケーションへと移行しようという姿勢が打ち出されている。

第4期基本計画では、社会とともに創り進める政策の実現が謳われ、平成28年度の第5期基本計画では、多様なステークホルダーによる共創的科学イノベーションの推進が掲げられている。

しかし、科学技術ありきであり、図2に見られるように、経済界や政府とＮＰＯや市民活動など、全てのアクターを並列的に考えることで、科学技術における権力関係を見失わせているのではないかと批判的に考えることもできる。「国策としてのサイエンス・コミュニケーション」には批判も多い。

4. 科学情報と市民社会のコミュニケーションの実態

科学技術振興機構のホームページに紹介されているイベントのうち、サイエンスカフェの件数を調べたところ、２０１８年には約４５０件が紹介されていた。このうち、生物・医療関係が40％を超え、工学・物理系が20％でこれに次ぎ、宇宙や地学は10％を少し超える程度であった。身近な生物や健康関係のサイエンスカフェが多く紹介されていることが分る。また、その他として集計した20％の大半は数学であり、数学ファンが定期的に勉強会をサイエンスカフェとして実施していることが分った。どのような機関が実施しているかについては、複数の実施と実施団体の性格が明確でないものがあるので厳密ではないが、大学・研究所が35％を超え、博物館などの行政機関が20％近くあった。公的な性格が強い学術団体も10％弱実施しており、これらを合わせると7割近くは研究行政機関などの公の性格の強い実施団体であることが分った。企業などの民間団体は10％を超えない程度で限られており、市民団体や個人は25％程度となっていた。４４５件のうち、環境問題や社会問題などのいわゆる科学と社会の関係を考えるサイエンスカフェは数件しか開催されておらず、大半は聴衆に科学的な知識を伝える性格のものであった。しかしながら、生態学的なオオムラサキの保護活動を基盤とした環境保全的な性格のサイエンスカフェが定期的に開催されており、このような市民参画の行政の取り組みは継続性もある。また、大学と商店街などの共催、大学と企業の共催も少ないながら見られ、新しい傾向が見えた。科学技術振興機構でイベントを告知する団体が公的なものが多いことは考えられるが、旧来の欠如モデルと批判されたような性格のものが大半を占めていることは否定できないだろう。加えて、反原発などの政治的な性格のもの、企業などとの連携によるものはほぼ皆無であり、いわば「純粋理系」的な政治・経済とは無関係なものが好まれる傾向が強いことが分かる。従って、市民サイドからの提言などが必要、あるいは可能な性質のものも少なく、双方向型を実現しているものは少ない。科学コミュニケーションの理念と実態の乖離を指摘されても仕方がない状況であろう。

理念的には様々なアクターが交流し、科学知についてコミュニケーションを実施することになっているのだが、どうしても知識を持っているのは大学や研究所、行政などの資金力も組織力もある機関ということになり、市民参加といっても、市民は科学や科学技術に関する興味関心さえ持てず、ましてや科学に関する問題意識を持つことは困難な可能性さえある。一般市民は、情報を受け取るだけの存在になりかねない。そもそも、図２で見てきたように、文部科学省の考える科学コミュニケーションは、それぞれのアクターを並列に考えるが、大学や研究所や行政と、市民は同列の存在ではなく、情報発信力のある機関や組織から情報を受け取るだけの存在になりやすい。市民の側としては、自分の生活圏に入り込んだ、安全に抵触するような科学技術については、知識を得た上で、議論ができる機会や場が確保されることが不可欠だが、そのような機会が少ない。

加えて、社会的なリテラシーを持って何からの政治的意図がある市民を、科学コミュニケーションから排除する力学が働いているとしたら、「国策のためのサイエンス・コミュニケーション」と批判されても仕方がないのではないだろうか。ＮＰＯや市民団体も、大学の退職教員や、または現役の教員が指導的立場であることが多く、もともと研究者や教員だった人が「市民」としてカウントされているに過ぎないケースも見受けられる。

１９９８年に東京電機大学の若松征男を始めとするサイエンス・コミュニケーションを研究者たちの主導で、コンセンサス会議[106]という合意形成会議が実施された。このコンセンサス会議は、行政の科学技術が関連する施策の決定などに、市民の代表者が参画して、その是非や方向性などについて話し合うことで、市民の意見を吸い上げようというものであった。[107]しかし、誰が市民の代表なのかという批判や、そもそも市民がそれほど知識を持っていることが想定されないなど、様々な問題が生じて、今ではあまり活用されていない。科学研究や科学技術の応用、科学技術政策の立案に際して、市民が参画することについては、市民サイドが何らかの情報過程の中に定常的に置かれるような環

106　http://www.democracydesign.org/pi-forum/act/journal/piforum-1-2-7_web.pdf#search=%27%E3%82%B3%E3%83%B3%E3%82%BB%E3%83%B3%E3%82%B5%E3%82%B9%E4%BC%9A%E8%AD%B0%27（２０１８.９.４）

107　小林傳司『トランス・サイエンスの時代』ＮＴＴ出版、２００７年、ｐ212～ｐ216。

境が生まれなければ、なかなか困難なことは間違いない。その意味では、意志決定の土台となる知識を醸成するサイエンスカフェは、まずは欠如モデルに近くても、重要な意味を持つものだと考えることもできるだろう。

しかしながら、このようなスタイルのサイエンス・コミュニケーションからテイクオフして、科学や科学技術が社会的にインパクトを持つ状況が生まれ、それに市民が何らかの意志を反映させたいと考えた時点で、それが可能となる何らかのシステムを構築しない限り、市民はいつまでも科学情報過程に参画できないということになりかねない。もちろん、政治・経済的な意図がある市民をその情報過程から除外するという力学のもとでは、そのようなシステムは十全に機能するはずもないということを力説しておきたい。

5. 科学情報過程論

著者は、水俣病の発見から対策が講じられるまでを辿ることで、科学情報過程を構造的に明らかにすることを目指し、どのようなコミュニケーションが制度的に必要であるのかを、タルコット・パーソンズの社会システム論を援用しながら提案してきた。一つの科学技術が深く絡む社会問題が、社会システムが大きく変容する中で、解消に向かって進んで行く道筋を示し、従来の科学コミュニケーションの非政治性、非経済性、非文化性を明らかにする試みである。パーソンズが『政治と社会構造』（１９７３）の前後から用いるようになったＡＧＩＬ図式は、社会システム存続の機能的要件をまとめたものである。パーソンズは、ＡＧＩＬの機能要件が、社会システム一般の機能要件を網羅していると考え、この図式にもとづいて社会システムの変容や維持のプロセスを分析することを提唱した。この分析装置は、社会が複雑化した現在でも、かなりの有効性があると考える。

例えば、科学者と社会という区分では、産学協同などは論考できないことになる。しかし、市民社会と政治システムのコミュニケーション、市民社会と経済システムのコミュニケーション、市民社会と文化システムのコミュニケーションを考えれば、市民社会と経済システム、政治システムを分けて考えられるため、現実に私達が観察している現象を論考することができる。これらのシステム間のコミュニケーション過程に、サイエンスカフェ、サイエンス・コミュニケーションがどのように作用しているか、していないかについてまずは分析したい。

また、社会システム論に関しては、社会を全体としてみる理論は個々人の実存的な意味について問うことができないとの批判も受けている。ルーマンは『社会システム論』で、「実存する人間に取っての意味が従来の社会システム論には不在」だと指摘した。ルーマンによれば、世界とは、現実に体験できる事柄だけでなく、それを超えた可能性からなる複雑なものだという。世界は不確実なものので、これを確かなものとして捉えるために、人間は意味によって世界を秩序づける。これがルーマ

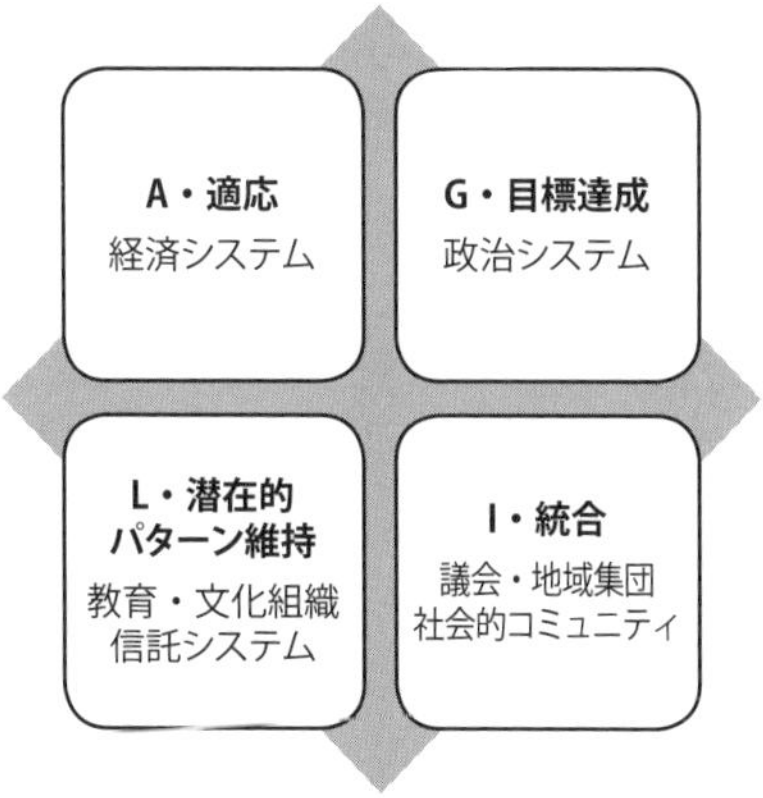

図3　AGIL図式（著者作成）

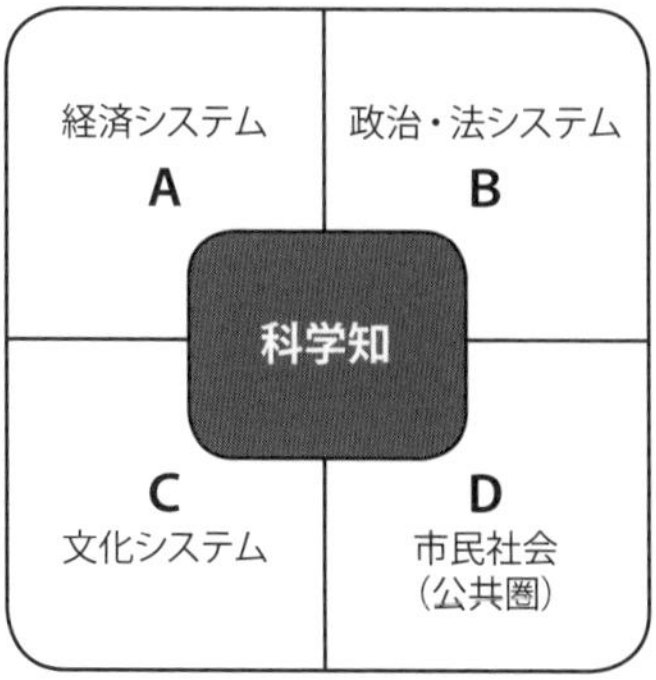

図4　科学知をめぐる社会システムのモデル（筆者作成）

ン社会学の主要概念である「複雑性の縮減」呼ばれる現象である。ルーマンは、社会システムは複雑性の縮減を行う相互のコミュニケーションとして存在し、複雑性の縮減を前提として初めて個々人の行為やアイデンティティーが成立すると考えた。すなわち、市民社会を構成する個々人の実存によって、社会が存立を変えていく過程としてのコミュニケーションを考慮することが必要であることが分かる。

また、ハーバーマスは『コミュニケーション的行為の理論』において、現代社会では科学技術が客観的に体系化され、目的合理性について科学技術体系は絶対的根拠を持つとした。あらゆる政治行為の価値は、目的合理性について科学的あるいは技術的に正当か否かの判断抜きには成立せず、イデオロギーが何らかの制度を社会に確立する際に、目的合理性に合致しているかどうかということが大きな影響を持つとする。そして、目的合理性が支配的な観念となった社会では、人間疎外が生じ文化的な人間性は否定され、人間行動は目的合理性に適合的なように物象化され、目的合理性が存立の根拠である政治システム・経済システムが生活世界を植民地化すると指摘している。科学知は、生活世界を植民地化する目的合理性の根幹をなす知であると考えられている。科学知そのものが、果たしてハーバーマスの考えるような知であるのかということには、トーマス・クーンの科学革命[108]の観点から言えば、批判はあると思われるが、現代社会において通常は科学知というのは客観的に正しいと扱われることが多いことは事実であろう。

ハーバーマスの主著の一つである『公共性の構造転換』は、公共性は歴史的に「話し合い」から成立してきたことを論じて、システム的な目的合理性からの「コミュニケーション的転回」を説く。つまり、相手と私を対等ととらえた主体間の「コミュニケーションの質」が重要なのだとする。「言葉」を使って分かり合える可能性がコミュニケーション的理性にはあり、システム的な合理性に支配された社会を、合意によって対話的な関係性へと変革する必要性があるとする。ここでのコミュニケーションはディスカッションと言い換えてもよいだろう。例えば、原子力発電所を運営している電力会社と、市民は対等ではありえない。金銭や権力を使ったコミュニケーションでは、一種の支配関係に近いだ

108　トーマス・クーン『科学革命の構造』みすず書房、1971年

ろう。しかし、ハーバーマスは、そのような目的合理性に支配された経済社会から、社会のコミュニケーションを変容させていくことで、生活世界の経済や政治システムからの脱植民地化が可能だと考察している。ハーバーマスは話し合いによって、生活の舞台（生活世界）を基本とする社会関係を発達させることが必要であるとしている。ハーバーマスは人々の連帯、ネットワーク、あるいは、自発的結社（アソシエーション）に期待を寄せている。

このように社会システム論は、ルーマン・ハーバーマスによって批判され、主体的な個人のコミュニケーション的行為によって、意味づけられ編みなおされるものであると論じられてきている。そこで、ルーマンの社会システムを、システム間のコミュニケーションとして変化していくものと見なし、その編みなおしの根幹に市民社会の公共圏の個々人が存在するというモデルを提唱し、科学知をめぐるコミュニケーションと、社会システムの変革として捕らえて行きたい。加えて、社会現象がそれぞれのシステムに複雑性の縮減をもって、凝集していく過程を政治・法システムにおける社会現象の立法化とか、文化システムにおける価値観の醸成などとして、捉えて行きたい。そうすることで、社会システム論への批判を吸収しつつ、社会の中の科学情報過程を俯瞰する視座が獲得できると考える。そして、この視座を使って、日本の脱政治・脱経済化された官製のサイエンス・コミュニケーションの情報過程としての不備、将来に向けてのビジョンの欠如を指摘して行きたい。

6. 社会システム論を用いた現状分析

サイエンスカフェやサイエンス・コミュニケーションは、専門家と市民の双方向のコミュニケーションと位置づけられることが多い。そして、そのようなイベントを数多く実施することで、社会全体の科学に対する理解度が向上し、科学リテラシーが上昇し、コンセンサスが形成されていくと考えられている。しかし、社会全体での科学情報の流通過程を捉えることで、従来のシステムを省みるとともに、新たなコミュニケーションプロセスを提案するために著者が作成した科学情報過程論のモデルで考えると、経済システムと市民のコミュニケーションは、そもそもサイエンスカフェなどとして実施されることも少なく、東芝未来館等のように企業が民間の科学館のような施設を運営している場合を除き、殆ど実施されていないのが実情である。そのため、科学技術振興機構が想定するような、科学コミュニケーションの環の中に、市民と同レベルのアクターとして、経済システムに属する企業が参画することは殆どないと思われる。原子力発電所を稼動させている電力会社であれば、発電所の近くに情報センターのような施設を設置し、市民への情報提供に努めるだろうが、そもそもそのような性格の施設には科学技術に関する双方向性の対話というよりも、欠如モデルに基づく、市民への原子力についての「正しい」理解の増進をその目的としているだろう。よって、実際には、現行のサイエンスカフェによって経済システムと市民社会のシステム間のコミュニケーションが促進されるということは困難である。

経済システムに所属している企業の利益とは無関係に、企業の研究所勤務の技術者や研究者が、市民と積極的にサイエンスカフェなどを実施すれば、経済システムと市民社会のコミュニケーションレベルは向上することが考えられるが、科学技術コミュニケーションそのものが全国的には活性化されているとは言い難い。また、企業研究には企業秘密も含まれているので、なかなか研究者が市民と研究内容について、意見を交し合うのは難しいだろう。しかし、例えばＡＩ技術革新について、開発企業と市民が意見交換を継続的に行うことで、現在のように扇情的なＡＩ脅威論が流行するのではなく、よりよい未来世界の方向性を建設的に議論することができるようになるのではないだろうか。

それでは、政治・法システムと市民社会とのコミュニケーションはどうだろうか。行政が科学技術に関する政策立案あるいは計画実施に市民を参画させたい場合は、従来は環境アセスメントの手続きに基づいた公聴会や、パブリックコメントの形で、意見を求めることが多く、現行の日本のサイエンスカフェのようなスタイルで実施されることはない。コンセンサス会議も主流になりそうな気配は見えない。

科学技術振興機構が紹介しているサイエンスカフェでは実施団体が行政であることが多かったが、この場合の行政は、自治体が運営している科学館や自然保護や環境保全の為の施設の実施であるケースが大半であった。このような施設では、積極的にサイエンスカフェを開催していると思われる。あるいは、国などの研究所が主に医療や健康に関する情報のサイエンスカフェを実施しているケースが多く、これも科学知について無知である市民に科学に関する知識を伝達する、欠如モデルよりであるということができる。例えば、iPS細胞の再生医療への応用についての研究者と市民の間の双方向のコミュニケーションは難しいと思われる。市民は、圧倒的に研修者の専門的な研究内容を理解するための基礎知識に欠いているからだ。講演を聞いた市民サイドからは、「期待しています」「実用化を急いで下さい」などの感想はあるかもしれないが、そのレベルのコミュニケーションでは、双方向とは言い難いだろう。

文化システムと市民社会のコミュニケーションはどうだろうか。新聞社や出版社などが、科学者や研究者などの講演会などの形で、市民に情報提供することは数多く行われている。しかし、この種のイベントを双方向型にするには小規模で実施する必要性があるだろう。大ホールで、大人数を対象に効率よく実施しないと、そもそも実施母体のPRにならないし、経済的にも運営できない。従って、サイエンスカフェの実施主体に教育機関以外の文化システムのアクターがなることは少ない。

教育機関では、主に大学であれば静岡大学のように定期的にサイエンスカフェを実施しているケースが多い。そのスタイルとしては、理学部や工学部などの理系学部の教員が、自分の研究を市民に分りやすく伝える形式のものが大半である。静岡市では、静岡大学のサイエンスカフェやグリーンサイエンスカフェを定期的に静岡市産学交流センターの会議室等で夕刻に実施している。参加者は、科学に関心のある市民のほか、理系の大学進学を目指している高校生や中学生が参加している。これも、最新の科学研究を噛み砕いて市民に伝えていることが多く、一種の欠如モデルであるということができる。

市民社会でのサイエンスカフェは、どのようなコミュニケーションを実現しているだろうか。市民が知りたい科学知に関して、専門家を招いて講師として話を聞いて、その後市民が話し合う機会を持つというスタイルが多いと思われる。多くは、専門家の知識を学ぶという欠如モデルの範疇であるが、長年サイエンスカフェを実施している市民団体には、どうすれば対話になるかという運営についてのノウハウや知識があるので、比較的対話型になっている。しかし、その対話は、科学者と市民ではなく、どちらかというと科学に詳しい市民同士の対話になっているケースが多いように感じられる。

そして、それぞれのシステムが、サイエンスカフェを実施することで、コミュニケーションが推進されているとは言いがたいのが実情だろう。それぞれのシステムが、市民とただ対話するだけでは、科学情報過程に市民が参画することは、絵に描いた餅であり、その実現については、まだかなり工夫やシステムの構築が不可欠だと思われる。

7. 静岡市の科学コミュニケーター養成講座について

実際に、サイエンスカフェやサイエンス・コミュニケーションを担う人材はどのように養成されているのだろうか。科学コミュニケーター養成講座を実施して7年目になる静岡市科学館る・く・るを例に概観してみたい。静岡市科学館では、従来は科学に関するワークショップやイベントや「科学を楽しみ、身近に感じてもらうことが主な目的」であったとしている。養成講座の応募要項によると、養成講座の意義は、「市民が科学技術を自分の問題としてとらえ、より積極的に社会に参画することが主な目的になる」としている。養成講座では、「科学技術に関する市民感情を理解し、科学技術や専門家と市民をつなぎ、考えることを促すことができる人材を養成し、分りやすく面白い、市民が主体的に参加できるイベントやワークショップを静岡で広く行っていくことを目指します」としている。講座で身につけるスキルは、コミュニケーションスキル、ファシリテーション能力、企画力、来館者知識、企画を準備・運営する実践力としている。対象は、学校・大学教員や生涯学習施設など教育・公共施設スタッフまたはボランティア、NPOや企業CRSなど社会活動を行っている市民、これから科学コミュニケーション活動をしていきたい大学院生や社会人（科学分野・教育分野の経験がある人）としている。

講師は、筑波大学、静岡大学、常葉大学、静岡県立大学、大阪大学の教員、弁理士や民間の研究所主催者、科学館のスタッフなどとなっている。育成講座カリキュラムは、科学コミュニケーションの概要と背景、育成像、来館者の特性と年代別の科学リテラシー等の講義、著作権・商標についてのワークショップ、ＪＡＸＡ宇宙教育リーダーセミナー受講、夏のサイエンス屋台村という科学館のイベントへの参加、非専門家との科学コミュニケーション、ファシリテーションワークショップ、広報や企画のやり方、サイエンスライティング、研究者との科学コミュニケーションとサイエンスカフェ実施となっている。

受講生の多くは、退職後の教員や会社員であり、科学コミュニケーターとして実践している活動の多くは、科学館での子供向けのイベントであるのが実情だ。平成24年度から平成30年度までの受講生総数は96人で、そのうち修了者（受講後に2回以上実施報告があって修了証を発行した人数）は50人。内訳は、大学生・院生・専門学校生が13人、シニアが20数人となっている。２０１７年度に静岡科学館る・く・るで科学コミュニケーター養成講座受講生によって実施された科学イベントは約２２０件で、そのうち環境問題関連が約28％、理科工作が約34％、科学一般知識の読み聞かせなどが9％、その他が29％となっている。科学館自体は子供向けの施設ではあるり、実施された活動のほぼ全てが子供向けとなっている。子どもたちに環境問題に関心を持ってもらうことは大切であり、理科工作も子どもたちには大切な経験になるとは思うが、広範な科学に関するリテラシーを社会に醸成することには主眼が置かれていないのは間違いない。受講生は、養成講座のプログラムの一環として、県内の主要大学から教員を招き、サイエンスカフェを実施しているが、研究者の側が受講生や聴衆に多くを期待しているとは思えない。聴衆の意見により研究者の側が、自らの社会的姿勢を変える用意はなく、社会貢献としてサイエンスカフェを実施すること自体に価値を置いているのが実情だからだ。このような状況下で、脱政治化された環境問題に関するイベントは多数開催されても、反原発などの政治的な性格を持つイベントは開催されていない。いわば、「純粋理系」的な、意識的・無意識的な縛りが、サイエンスカフェ及びサイエンス・コミュニケーション活動が、双方向型になるのを妨げているように思われる。そして、このような養成講座が全国で実施されているのだが、講座修了者がサイエンスカフェやサイエンス・コミュニケーションを実践しようとしても、政治的・経済的な問題意識を持たない、主に理学部や農学部出身の研究者を招いて、市民に話をしてもらうイベントを実施するのが、精一杯のところではないだろうか。

8. どうしたらいいか

市民社会は科学技術の進歩の中で、大きく姿を変えようとしている。その中で、市民社会と各システム間のコミュニケーションを担うと期待されているのが、サイエンスカフェやサイエンス・コミュニケーションである。しかし、サイエンスカフェやサイエンス・コミュニケーションが、実際に社会の科学コミュニケーションを、社会変動を反映したレベルで実現しているかというと、まだまだ非力であるといえるのではないだろうか。

どうして非力であるのかといえば、各団体が細々と手弁当でやっているからであり、教育・文化をベースとする市民の科学的なリテラシーが構築されていないからだと思われる。国が科学コミュニケーションを活性化させたいと本当に望むのなら、国策で実施する科学コミュニケーションから脱却して、ひも付きにならないファンド等を設け、反軍事や反原発などの国に批判的な団体も含めた運営組織を作り、草の根のネットワークを構築していくべきだろう。ビジネスや政治色を消し去りたいというしいわば「純粋理系」の拘りが、かえってサイエンスカフェやサイエンス・コミュニケーションの活動の幅を狭めているのではないだろうか。まずは、工学系の研究者にも参加を求めていくなどと、自らの活動の性格の幅を広げていくところから、改革していくべきだろう。しかし、このような性格の活動に国がメリットを見出すとは思えない。

大学や研究機関などがサイエンス・コミュニケーションを実施する主体として期待されているとしたら、文部科学省のCOC＋等の募集に際し、重要視するなど政策に関連性を持たせるべきだ。研究機関に関しても、補助金等の申請に際して、意味のある科学コミュニケーションを市民に対して実施することを必須要項にすることなどが必要だろう。意欲のある少数の大学や研究施設が少ない予算と人員で、年に数回だけ実施するという現状のあり方では、サイエンス・コミュニケーションが推進されるとは思えない。そして、実際に市民に科学技術に問題関心を持ってもらうことを目的にすべきだろう。

最も、今後活動が期待されるのが、企業のＣＳＲとしてのコミュニケーション活動ではないだろうか。ＡＩやＩＣＴ、ＩｏＴやバイオテクノロジーなどの科学知を科学技術として応用し製品化して、社会に大きなインパクトを与えるのは経済システムの企業である。しかしながら、企業活動の中に市民とのサイエンス・コミュニケーションを掲げているケースは極めて希である。企業にとって市民は、株主などのステークホルダーか製品を買ってくれる消費者として位置づけられており、市民社会に情報を提供し、その意見を双方向的に取り入れるというアイディアは欠如している。経営理論の中にも、そのようなサイエンス・コミュニケーションの必要性を謳ったものはまず見られない。

静岡市科学館る・く・る科学コミュニケーター養成講座を受講した経験から、サイエンス・コミュニケーションを実施している市民は、手弁当であり、ボランティアであり、資金もなければ助成措置もないことを痛感した。そして、「純粋に科学を愛する市民」であり、そのことが日本版サイエンス・コミュニケーションの限界でもあると感じる。そもそも、サイエンスカフェ発祥の地のイギリスでは、国の科学政策への市民の批判が、その原動力になっていたことを思い出して欲しい。もし、国や自治体が本気で日本社会に双方向型のサイエンス・コミュニケーションを実現し、本当の意味での科学立国を実現したいのであれば、サイエンスカフェ及びサイエンス・コミュニケーションのあり方を、科学情報過程論の提唱する市民参画のシステム間のコミュニケーションを促進する活動として、今一度捉えなおす必要性があるのではないだろうか。なお、現在オープンサイエンスの動きがあるが、市民科学を非政治化して取り組む傾向には注意が必要だろう。

第6章　日本の科学技術政策と科学情報過程論

1．はじめに

日本の科学技術政策の特徴を一言で言えば、上からの政策、国が決めた方針に則って国内の行政・産業・教育が営まれることを是とする歴史を持っていると言えるだろう。そのことが、明治の近代化にとっては極めて有効であったことは言うまでもなく、戦後の護送船団方式と呼ばれた金融政策に代表されるような産業政策が復興の原動力になったことも否めないだろう。しかし、このような過去の成功体験が、日本の科学技術政策を歪めてきてはいないだろうか。特に、近年の科学教育政策に関しては問題点が多いことが多くの研究者によって指摘されてきている。ものづくり大国から、ITやAI時代に産業政策が乗り遅れ、シリコンバレーに類似した産業集積地を創設できなかったことはなぜなのか。多くの博士号を持つ研究者が挫折し、引用される主要分野の科学論文数の伸び率は先進国中でも最低レベル[109]である。このような事態に陥った経緯を、歴史を振り返りつつ概観したい。政府は大学の独立行政法人への移行とともに、民間資金を研究資金として活用し、特許数を増やし、大学ベンチャーを養成しようとしたが、アメリカの大学が成功しているようには上手くいかない。著

109　科学技術振興機構報告書 https://jipsti.jst.go.jp/foresight/pdf/Top10Articles.pdf#search=%27%E4%B8%BB%E8%A6%81%E5%88%86%E9%87%8E+%E7%A7%91%E5%AD%A6%E8%AB%96%E6%96%87%E6%95%B0%27（2018．12．1）

者が提唱している科学情報過程論という社会システム論を援用した分析装置で、この国の科学技術政策の何が問題なのかを探りたい。文部科学省は、科学技術基本政策でサイエンス・コミュニケーションを掲げ、市民社会への科学の浸透を図ろうとしているが、若者の理科離れは深刻である。明治から21世紀まで日本の科学技術政策を振り返り、この国が今後も「科学技術立国」であり続けるためには、そもそも「科学技術立国」自体の定義が変わらなければならないことは明白だが、どのような変革が必要なのか社会システム論の分析を踏まえ、提言したい。

2. 戦前の科学技術政策

日本の科学技術政策[110]は、明治期の殖産興業政策と富国強兵政策、学制の創設に遡る。明治政府は、地租改正や秩禄処分で税制改革を断行し、太政官は１８７０年に工部省を設置、鉄道・造船・鉱山・製鉄・電信・灯台・製作・工学・勘工・土木の10寮と測量の１司が配置された。欧米からいわゆるお雇い外国人を多数登用し、岩倉使節団を派遣するなどし、欧米の進んだ産業技術の移入を急い

110　平成26年度文部科学省委託調査三菱総合研究所 https://scirex.grips.ac.jp/resources/download/MRI_hokukokusyo_7.pdf#search=%27%E6%88%A6%E5%89%8D%E3%81%AE%E7%A7%91%E5%AD%A6%E6%8A%80%E8%A1%93%E6%94%BF%E7%AD%96%27（２０１８．12．１）

だ。官職技術者を養成する工学寮は、1873年大学校のみが開校し、1877年に工学寮が廃止されると、工部大学校と呼ばれるようになった。工学寮の大学校では、基礎課程・専門課程・実地過程の3期6年制で、土木、機械、建築、電信、化学、冶金、鉱山、造船の6学科を置き、外国人講師に英語で講義を受けた。私費生と官費生に分かれ、官費生には卒業後7年の官庁での奉職義務があった。工部省の廃止で、工部大学校は文部省に移管され、1886年の帝国大学令により帝国大学工科大学になった、これが東京大学工学部となる。文部省は、外国人教師の活用、海外留学生の派遣、原典の翻訳と普及を方針として、近代科学発展への道を開拓した。1879年には東京学士会院を発足、学会が各学問分野で設けられ、気象台や測量部、統計院なども整備された。帝国大学令では、法学、医学、文学、理学、工学、農学の6つの分科大学を設置、大学院を設けて学位令を定めて博士の学位を授与する制度を設けた。1897年には京都帝国大学、1911年には東北帝国大学、九州帝国大学を開設し、4帝国大学となった。

殖産興業を担った官庁は、主に工部省と内務省であり、工部省は1872年には官営鉄道などの交通網を整備、鉱山を官営化し、軍需工場を設立・運営した。内務省は、1873年に設立され、富岡製糸場などの官営工場を開設し紡績業などの軽工業の確立を急いだ。1880年前半には、鉄道・電信などを除き官営事業を民間に払い下げ、内閣制度とともに工部省を廃止し、逓信省と農商務省へ分割・統合された。鉄道事業は内閣直属になり、電信・灯台などの事業は逓信省に引き継がれ、郵便と一体化された。１９０１年には日清戦争の賠償金を元に八幡製鉄所を開設、重工業への足場を築いた。

１９３７年以降は、戦時体制に入り、戦争遂行の原動力としての科学技術の重要性が提唱され、科学動員体制がひかれた。１９３８年の科学振興調査会の設置、内閣に設けられた科学審議会の活動、企画院に科学部が設けられ科学動員を進め、文部省は１９４２年、科学局を設け、戦時下情勢に対応する科学研究活動を進めることになった。さらに、科学動員委員会を設けて科学動員の中心機関としての体制をつくった。しかし、１９４３年からは生産力が低下し、研究に必須な資材も入手することができなくなり、研究動員は要求された結果をあげることができず終戦となった。

3．戦後の科学技術政策

敗戦後、日本の主要都市は焦土と化した。軍港となっていた主要な港湾も空襲により破壊され、軍需工場となっていた産業集積地も灰燼に帰し、日本の経済力は失われていた。ＧＨＱの占領政策[111]

111　平成26年度文部科学省委託調査 https://scirex.grips.ac.jp/resources/download/MRI_hokukokusyo_7.pdf#search=%27GHQ%E3%81%AE%E7%A7%91%E5%AD%A6%E6%8A%80%E8%A1%93%E6%94%BF%E7%AD%96%27（２０１８．12．１）

により、財閥は解体され、原子力や航空技術などの開発は禁じられた。朝日新聞は、「科学で負けた」と敗戦理由の見出しを掲載し[112]、戦後日本は科学技術で欧米に追いつくことを目的に、戦後を走り出した。

大戦中の遅れを取り戻すため、研究者の海外への渡航や外国技術導入が急がれた。その一方で、1949年、日本学術会議は政府に、独自技術開発のための工業化試験への融資を申し入れ、1956年には科学技術庁が設立され、新技術開発機関についての検討を開始、理化学研究所開発部の発足を見ることになる。一方、1950年に外資に関する法律（外資法）及び1949年に外国為替及び外国貿易管理法を制定、外国技術導入のための対外送金を保証した。50年代の技術の大半がアメリカから移入された。

復興期には、基幹産業を再建・育成することが第一の課題とされた。終戦直後には、石炭と生産と鉄鋼の増産、化学肥料や電力開発を目指す傾斜生産方式が取られた。採炭技術なども西ドイツからの移転技術である。このような政策は、統制経済下で市場での競争が制限されていたこともあり、インフレなどの副作用を伴った。やがて、ドッジ・ラインで市場経済に移行し、企業合理化促進法による設備投資への税制優遇措置、研究開発への補助金制度が導入された。朝鮮戦争特需により、日

112　昭和20年8月16日の朝日新聞の見出しに、「科学や物量で敗れた」と出された。

本経済は戦前の水準にまで回復した。52年末から53年にかけて資本蓄積をもとに技術導入ラッシュが始まり、最新技術の導入を実施した。海外からの技術移転で基幹産業を育成しつつ、自前の研究開発能力を高めることが、この時期までの科学技術政策の重要課題だった。品質管理（60年代ＱＣサークル）及びオートメーション化も日本の技術革新に重要な役割を果たした。

60年代には、所得倍増計画がスタート、文部省において理工系人材増強がなされた。64年には東京オリンピック前に東海道新幹線が建設され、原子力・宇宙開発などの大型プロジェクトの推進体制が整備され、筑波研究学園都市も建設された。66年には大型工業技術研究開発制度が発足、民間企業の研究開発振興の税制面の優遇措置が整備された。70年には日本万国博覧会が大阪で開催されている。高度成長期には、通産省が電力や鉄鋼に関する設備近代化政策、合成繊維・自動車・石油化学など特定分野の新規産業の育成政策を実施した。急激な成長の歪みで公害が発生、環境科学技術の重要性が認識され、テクノロジー・アセスメントも提唱された。

比較優位を失った石炭や天然繊維などの衰退産業、基礎素材産業など構造不況に陥った産業への縮小施策も産業調整政策として実施された。国際的な競争力を有するに至ったハイテク産業など日米経済摩擦の中で特定産業への調整政策は姿を消したが、バブル経済崩壊後は、構造改革が課題となった。日本経済は長期停滞し、新しい成長基盤が求められるようになった。先進諸国からの技術移転という成長パターンから技術革新によって特許を取得し、新産業を創出することが課題になった。その中で、81年には科学技術振興調整費が予算計上され、86年には科学技術政策大綱が閣議決定されている。さらなる成長のために経済システム全体に関する構造改革が必要とされ、今日の成長戦略に繋がっている。構造改革では、競争原理が働かなかった航空・通信分野で自由化が進められ、民営化と市場機能強化が政策の主体となった。世界経済危機以降は、エコカー支援などの内需拡大策などが取られた。グローバル化した経済と情報化の中、省庁横断の産業政策や世界からの投資を呼び込むインフラ整備が課題となった。２０１６年に経済産業省は、イノベーション政策についてのレポートをまとめたが[113]、自前主義・短期主義から抜け出し、グローバルネットワークにアクセス、産官学が一体となったオープンイノベーションを可能にするシステム構築を急ぐべきとしている。特に次世代の人工知能技術の開発や社会実装に関しては、オールジャパン体制で臨む必要があるとしている。

113　経済産業省レポートイノベーション政策について http://www.meti.go.jp/shingikai/sankoshin/sangyo_gijutsu/pdf/004_02_00.pdf#search=%27%E7%B5%8C%E7%94%A3%E7%9C%81+%E3%82%A4%E3%83%8E%E3%83%99%E3%83%BC%E3%82%B7%E3%83%A7%E3%83%B3%E6%94%BF%E7%AD%96%27（２０１８．12．１）

4・科学技術基本法と科学技術基本計画

平成7年（1995年）に科学技術基本法が制定され[114]、政府は科学技術基本計画を策定し[115]、長期的視野に立って科学技術政策を実行することになった。第一期が平成8年（1996年度）～12年度（2000年度）、第二期が平成13年（2001年度）～17年度（2005年度）、第三期が平成18年（2006年度）～22年度（2010年度）、第四期が平成23年（2011年度）～27年度（2015年度）、第五期が平成28年（2016年度）～32年度（2020年度）となっている。文部科学省のホームページによれば、科学技術基本法の制定の背景は、戦後の高度経済成長を支えた先行する国から技術移転し、応用技術によって追従するという産業モデルが機能しなくなり、バブル崩壊後で新たな成長の原動力となりうる新産業を創出する活力も失われていた。知的財産保護の風潮が強まる中、独自技術を生み出す基礎研究や産学官連携に消極的な大学を変革することが不可欠だった。政府は、「科学技術創造立国」を目指すとし、基本法を定めることにしたという。

114　http://www.mext.go.jp/b_menu/shingi/kagaku/kihonkei/kihonhou/keii.htm（2018.12.5）
115　http://www.mext.go.jp/b_menu/hakusho/html/hpaa201501/detail/1359576.htm（2019.12.5）

科学技術基本法の目的としては、科学技術の振興に関する施策の基本を定めることであり、研究者及び技術者の創造性が十分に発揮されること、広範な分野における均衡の取れた研究開発能力が涵養されること、基礎研究、応用研究及び開発研究がそれぞれ調和しつつ有機的に発展すること、産学官が有機的に連携することなどとなっている。同法では、科学技術基本計画を策定することを定めている。また、政府に対し、毎年、「科学技術の振興に関して講じた施策に関する報告書」を作成し、国会に提出することを定め、国が講ずる施策として、研究者や技術者の確保、養成及び資質の向上、研究施設等の整備や研究開発に係る情報化の促進、科学技術に関する学習の振興、啓発及び知識の普及としている。

第一期基本計画では、新たな研究開発システムの構築として、「ポストドクター等1万人支援計画」を2000年までに達成することとしたほか、研究者の流動化の促進などのため、公的研究機関に任期付任用制度を導入することを明記した。産学官連携促進や競争的資金の大幅な拡充のほか、研究開発評価の実施などを盛り込んだ。政府研究開発投資については、21世紀初頭に欧米主要国並みに引き上げることを念頭に、科学技術関連経費について計画期間内の総額を約17兆円とした。

第二期基本計画では、第一期の成果と課題を踏まえ、科学技術の戦略的重点化を行うこととし、基礎研究の推進に加え、ライフサイエンス、情報通信、ナノテクノロジー、材料の4分野に重点を置き、優先的に資源配分することとした。また、公的研究機関が保有する特許等の機関管理の促進を図ることとした。さらに、競争的資金の倍増や、競争的資金への間接経費30％の導入、任期付任用期間の延長（3年から5年へ）を盛り込んだ。さらに、計画期間中の政府研究開発投資目標は増額約24兆円とした。

第三期基本計画では、政策課題対応型の研究開発分野に重点化することとし、重点推進4分野を定めた。さらに、基本計画期間中に重点投資する「戦略重点科学技術」を選定したほか、これらの中から国家的な大規模プロジェクトを「国家基幹技術」として位置付けた。また、女性研究者の採用目標の設定や大学の競争力強化、間接経費30％の全ての競争的資金への導入徹底等を盛り込んだ。計画期間中の政府研究開発投資目標は総額約25兆円とした。

第四期基本計画では、２０１１年3月11日に発生した東日本大震災を踏まえ、震災からの復興、再生を遂げ、将来にわたる持続的な成長と社会の発展に向けた科学技術イノベーションを推進することを基本方針として掲げた。これを踏まえ、震災からの復興・再生など三つの柱を中心にした、課題達成型へ転換するとともに、関連するイノベーション政策も幅広く対象に含め、「科学技術イノベーション政策」として位置付け、社会とともに創り進める政策を展開することとした。また、政策の企画立案や推進機能の強化、研究開発法人の改革などを盛り込んだ。期間中の政府研究開発投資目標は前期と同じ総額約25兆円とした。

第五期基本計画では、総合科学技術・イノベーション会議に改組されて初めて策定される計画となった。ＩＣＴの進化等により、社会・経済の構造が日々大きく変化する「大変革時代」が到来し、国内外の課題が増大、複雑化する中で科学技術イノベーション推進の必要性が増しているとしている。同計画では、先見性と戦略性、多様性と柔軟性を重視する基本方針の下、持続的な成長と地域社会の自律的発展、国及び国民の安全・安心の確保と豊かで質の高い生活の実現、地球規模課題への対応と世界の発展への貢献、知の資産の持続的創出としている。このような国の実現に向け、4つの柱を掲げている。第一の柱としては、未来の産業創造と社会変革で、自ら大きな変化を起こし、大変革時代を先導していくため、非連続なイノベーションを生み出す研究開発を強化し、新しい価値やサービスが次々と創出される「超スマート社会」を実現するため「Society5.0」として推進するとしている。二つ目の柱は、経済・社会的な課題への対応であり、国内又は地球規模で顕在化している課題に先手を打って対応するため、国が重要な政策課題を設定し、課題解決に向けた科学技術イノベーションの取組みを進める。三つ目の柱としては、基盤的な力の強化で、若手人材の育成・活躍促進と大学の改革・機能強化を中心に、基盤的な力の抜本的強化に向けた取組みを進める。四つ目の柱は、人材、知、資金の好循環システムの構築で、国内外の人材、知、資金を活用し、新しい価値の創出とその社会実装を迅速に進めるため、企業、大学、公的研究機関の本格的連携とベンチャー企業の創出強化等を通じて、人材、知、資金があらゆる壁を乗り越えて循環し、イノベーションが生み出されるシステム構築を進めるとしている。

基礎研究の成果としては、学術研究及び基礎研究の推進の基礎となる研究資金には、大学等や研究開発法人（具体的には情報通信研究機構、科学技術振興機構、理化学研究所、宇宙航空研究開発機構、産業技術総合研究所、電子航法研究所、国立環境研究所等の37法人（２０１５年4月1日現在）が該当する）の運営費交付金等の基盤的経費のほか、科研費（文部科学省及び日本学術振興会）及び戦略創造事業（科学技術振興機構）などがある。科研費については、基金化や調整金等の導入で、複数年度をまたぐ研究費の使用を可能にするなど、制度の改善を図った。戦略創造事業は、競争的資金制度であり、研究代表者が産学官にまたがるネットワークを形成・活用しつつ研究を推進するＣＲＥＳＴ、卓越したリーダーの指揮の下で科学技術イノベーションの創出に貢献するＥＲＡＴＯ等の制度から構成されている。また、文部科学省は２００７年度から世界トップレベル研究拠点プログラム（ＷＰＩ）を推進し、世界的な拠点を形成することを目的に大学の自主的な取組みへの集中的な支援を行っている。

全体の論文数は横ばい傾向であり、先進国の論文数が飛躍的に伸びていることと比して世界的レベルの基礎研究力が保てていない。大学の研究開発費の伸びが主要国と比較して低く、国際的な研究や、学際的な研究が少ないことなどが考えられる。

5. 大学改革と科学技術政策

政府は、研究開発を推進する母体としての大学改革に乗り出すことになる。1991年に学部教育の再構築を目的の一つとして大学設置基準が大綱化されると、東京大学以外は教養部を廃止し、専門教育の重点化に向かった。90年代には国立大学で大学院重点化、学部を基礎とした組織から大学院を基礎とした大学に変更することが求められた。企業サイドから要求される高度な科学技術の研究開発や人材育成をミッションとされた。国から支給される積算校費が院生のほうが高く、国立16大学で採用した。96～2000年度にはポスドク1万人計画が実施されたが、研究人材の活用は流動化せず、結局は大学院重点化で増えすぎたドクターの救済策だった。このような流れは、結局研究者のリベラルアーツの知識を減じ、広い社会的視野を持たない研究者が増えることにつながる。学際研究や、産官学、あるいは地域との連携が課題になる中で、教養部の解体のデメリットも議論されるべきだっただろう。

2004年に国立大学法人化。民間発想のマネジメントにより自律した経営を求められるようになった。国からの運営費交付金は毎年削減され、研究資金を競争的資金として他大学と競い合って獲得することとされた。研究者は、獲得競争に時間を割かれ、研究時間が減ってきている。科学技術学術政策研究所の調査[116]では、２００２年に職務時間全体の46．５％を占めた研究時間が、２０１３年には35．０％に激減している。研究資金の審査についても、誰がどのような観点でどのような研究が資金を獲得すべきと判断するのか、文部科学省が最先端と認識していない研究はどうするのかなど課題が多いと思われる。２０１２年、国立大学のミッション再定義。大学改革実行プラン発表。大学の機能の再構築と、大学ガバナンスの充実・強化を柱とし、国立大学改革・大学入試改革・研究力改革を挙げた。２０１５年、新時代を見据えた国立大学改革発表、２０１７年指定国立大学選定。世界のトップレベル大学と競うことのできる国立大学を選び、国が重点的にサポートする制度で、京都・東京・東北の３大学が選ばれた。

若手研究者への支援、グローバル人材育成、工学系大学の拡充、大学発ベンチャー育成など、大学改革の主眼は、理工系に置かれており、科学技術政策を実現する研究開発を担う人材創りに特化しているといっても過言ではない。研究がしやすい環境整備のための大学改革ではなく、科学技術立国を維持するための改革になっている懸念が強い。産学協同は、短期的に利潤を生む科学技術にばかり目が行くことが容易に想定され、長期でオリジナルな基礎研究や、評価が確立していない新

116　http://www.mext.go.jp/b_menu/shingi/gijyutu/gijyutu4/037/shiryo/__icsFiles/afieldfile/2015/06/04/1358507_06.pdf#search=%27%E5%A4%A7%E5%AD%A6%E7%A0%94%E7%A9%B6%E8%80%85%E7%A0%94%E7%A9%B6%E6%99%82%E9%96%93%27（２０１８．12．５）

分野などに、逆に立ち遅れる心配も出ている。一連の大学改革における文科系の軽視は、この国の未来に暗い影を投げかけているという批判[117]も多い。

新卒一括採用は、１９５３年から96年まで文科省と労働省を中心に作られた就職協定をベースにしており、97年から２０１８年までは経団連の倫理憲章をバックに、大学側と企業側の取り決めという形で実施されてきた。外資系の増加やインターンシップなど取り決めの形骸化から経団連が協定の廃止を決定、政府が肩代わりすることになっている。博士号取得者の民間企業への採用は、文部科学省の報告書[118]によると、２００７年度から２０１１年度では、民間企業のうち一回も採用していない割合が69．８％となっている。大学生の起業意識調査（ＧＵＥＳＳＳ ２０１６）[119]によると、

---

117 佐和隆光滋賀大学特別招聘教授の批判が象徴的 https://www.dailyshincho.jp/article/2017/01010559/?all=1（２０１８．12．６）

118 文部科学省科学技術・学術政策研究所、ディスカッションペーパー、民間企業における博士の採用と活用 http://data.nistep.go.jp/dspace/bitstream/11035/2996/5/NISTEP-DP111-FullJ.pdf#search=%27%E5%8D%9A%E5%A3%AB%E5%8F%B7+%E6%B0%91%E9%96%93%E6%8E%A1%E7%94%A8%27（２０１８．12．６）

119 大学生の起業意識調査レポート http://data.nistep.go.jp/dspace/bitstream/11035/2996/5/NISTEP-DP111-FullJ.pdf#search=%27%E5%8D%9A%E5%A3%AB%E5%8F%B7+%E6%B0%91%E9%96%93%E6%8E%A1%E7%94%A8%27（２０１８．12．６）

有効回答数の１．３％しか起業しておらず、他の先進諸国より一桁少なくなっている。研究人材の活用にも課題が大きく、起業人材の養成も全く進んでいないのが現状だ。これらの雇用政策、キャリア教育の不備が、産業構造の新陳代謝や、研究開発能力の低下、知財活用の促進が図られない背景であろう。

６．社会システム論を援用した分析

著者は、水俣病の発見から対策が講じられるまでを辿ることで、科学情報過程を構造的に明らかにすることを目指し、どのようなコミュニケーションが制度的に必要であるのかを、タルコット・パーソンズの社会システム論を援用しながら提案してきた。一つの科学技術が深く絡む社会問題が、社会システムが大きく変容する中で、解消に向かって進んで行く道筋を示し、従来の科学コミュニケーションの非政治性、非経済性、非文化性を明らかにする試みである。パーソンズが『政治と社会構造』（１９７３年）の前後から用いるようになったＡＧＩＬ図式は、社会システム存続の機能的要件をまとめたものである。パーソンズは、ＡＧＩＬの機能要件が、社会システム一般の機能要件を網羅していると考え、この図式にもとづいて社会システムの変容や維持のプロセスを分析することを提唱した。この分析装置は、社会が複雑化した現在でも、かなりの有効性があると考える。

図3　AGIL図式（著者作成）

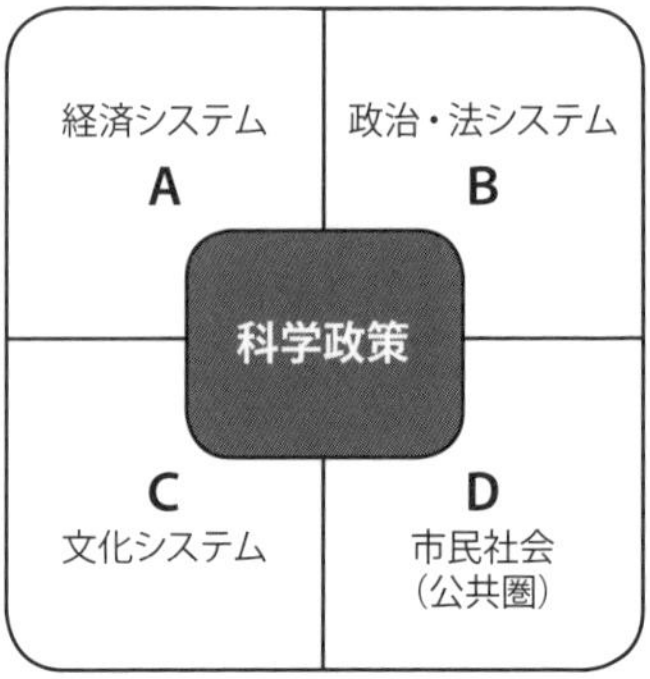

図4　科学政策をめぐる社会システムのモデル（筆者作成）

例えば、科学者と社会という区分では、産学協同などは論考できないことになる。しかし、市民社会と政治システムのコミュニケーション、市民社会と経済システムのコミュニケーション、市民社会と文化システムのコミュニケーションを考えれば、市民社会と経済システム、政治システムを分けて考えられるため、現実に私達が直面している現象を論考することができる。また、社会システム論に関しては、社会を全体としてみる理論は個々人の実存的な意味について問えないとの批判も受けている。ルーマンは『社会システム論』で、「実存する人間に取っての意味が従来の社会システム論には不在」だと指摘した。ルーマンによれば、世界とは、現実に体験できる事柄だけでなく、それを超えた可能性からなる複雑なものだという。世界は不確実なもので、これを確かなものとして捉えるために、人間は意味によって世界を秩序づける。これがルーマン社会学の主要概念である「複雑性の縮減」である。ルーマンは、社会システムは複雑性の縮減を行う相互のコミュニケーションとして存在し、複雑性の縮減を前提として初めて個々人の行為やアイデンティティーが成立すると考えた。すなわち、市民社会を構成する個々人の実存によって、社会が存立を変えていく過程としてのコミュニケーションを考慮することが必要であることが分かる。

また、ハーバーマスは『コミュニケーション的行為の理論』において、現代社会では科学技術が客観的に体系化され、目的合理性について科学技術体系は絶対的根拠を持つとした。あらゆる政治行為の価値は、目的合理性について科学的あるいは技術的に正当か否かの判断抜きには成立せず、イデオロギーが何らかの制度を社会に確立する際に、目的合理性に合致しているかどうかということが大きな影響を持つとする。そして、目的合理性が支配的な観念となった社会では、人間疎外が生じ文化的な人間性は否定され、人間行動は目的合理性に適合的なように物象化され、目的合理性が存立の根拠である政治システム・経済システムが生活世界を植民地化すると指摘している。科学知は、生活世界を植民地化する目的合理性の根幹をなす知であると考えられている。科学知そのものが、果たしてハーバーマスの考えるような知であるのかということには、トーマス・クーンの科学革命の観点から言えば、批判はあると思われるが、現代社会において通常は科学知というのは客観的に正しいと扱われることが多いことは事実であろう。

主著の一つである『公共性の構造転換』では、公共性は歴史的に「話し合い」から成立してきたことを論じて、システム的な目的合理性からの「コミュニケーション的転回」を説く。つまり、相手と私を対等ととらえた主体間の「コミュニケーションの質」が重要なのだとする。「言葉」を使って分かり合える可能性がコミュニケーション的理性にはあり、システム的な合理性に支配された社会を、合意によって対話的な関係性へと変革する必要性があるとする。例えば、原子力発電所を運営している電力会社と、市民は対等ではありえない。金銭や権力を使ったコミュニケーションでは、一種の支配関係に近いだろう。しかし、ハーバーマスは、そのような目的合理性に支配された経済社会から、社会のコミュニケーションを変容させていくことで、生活世界の経済や政治システムからの脱植民地化が可能だと夢想する。ハーバーマスは話し合いによって、生活の舞台（生活世界）を基本とする社会関係を発達させることが必要であるとしている。ハーバーマスは人々の連帯、ネットワーク、あるいは、自発的結社（アソシエーション）に期待を寄せている。

このように社会システム論は、ルーマン・ハーバーマスによって批判され、主体的な個人のコミュニケーション的行為によって、意味づけられ編みなおされるものであると論じられてきている。そこで、ルーマンの社会システムを、システム間のコミュニケーションとして変化していくものと見なし、その編みなおしの根幹に市民社会の公共圏の個々人が存在するというモデルを提唱し、科学知をめぐるコミュニケーションと、社会システムの変革として捕らえて行きたい。加えて、社会現象がそれぞれのシステムに複雑性の縮減をもって、凝集していく過程を政治・法システムにおける社会現象の立法化とか、文化システムにおける価値観の醸成などとして、捉えて行きたい。そうすることで、社会システム論への批判を吸収しつつ、社会の中の科学情報過程を俯瞰する視座が獲得できると考える。

7. 社会システム論を用いた分析結果

戦前は経済システム自体を国が形成していくプロセスが大きかったが、財閥が形成され、陸軍などが力を持つようになってからは政財軍の癒着により、政策が決められていった。ＧＨＱの支配から離れた戦後の日本の科学技術政策は経済システムを復興しつつ、やがては復興した経済システムからの要望を受けて形成されてきたということができるだろう。戦後においては、いわゆる護送船団方式が、金融のみならず政府主導の産業振興において浸透していた。省庁の行政指導があり、補助金や助成金があり、民間がそれに従うというスタイルだ。科学技術の移転が主眼であり、海外の進んだ科学技術をベースに応用技術を開発して製品を作り出して安価で高品質な商品を輸出していくのが製造業のベースという時代にはその方針は適合していた。そして、高度経済成長が実現したのだろう。円高不況下では、製造業の下請けがシワ寄せに合い、コスト削減で血のにじむような努力を強いられた。構造不況後は、今度はイノベーション人材を輩出せよとの経済システムの要望に、科学技術政策は全力で応えているのが実態だ。新たな産業創出で、軍需産業も期待されており、デュアルユースの問題も出ている。原発輸出も国策となっており、反原発派からは批判が出ている。

法・政治システムとのコミュニケーションについては、戦前は富国強兵、戦後は経済成長のための法制度や学制の構築が科学技術政策の主眼であった。経済システムとのコミュニケーションを密に、産官学軍の密接なコミュニケーションをベースに、法・政治システムが機能していたと言えるだろう。やがて、国を挙げての科学動員体制に向かい、敗戦に至った。戦後はＧＨＱの一連の改革後は、政府主導の産業政策が実施された。経済界の再編は、解体を免れた銀行の系列をベースに行われ、産官の協同により産業政策としての科学技術政策が実行された。それが揺らいだのが、高度経済成長期の公害問題であり、公害反対運動に象徴される市民パワーの登場であり、公害防止や環境技術の開発などが科学技術政策の一翼を占めるようになった。現在では、少子高齢化社会・人口減少が社会の重大な課題となっており、その課題をＡＩなどの科学技術で解消しようというSociety5.0が喧伝されている。また、情報政府を目指し、マイナンバー制度がスタート、連動した地方自治体による地域情報化政策も進行している。インフラ、法制度の整備が急がれているのが現状だ。

文化システムとのコミュニケーションであるが、高度経済成長期において、科学技術が人間を幸せにするという信憑があり、市民の科学熱も高かったと思われる。三種の神器を始め、科学技術製品が暮らしを豊かにし、日本の経済成長を支え、科学への文化的なシンパシーがベースに存在した。そのような国民の支持をベースとした科学技術政策であったと思われる。教育においても、ベビーブーム世代の大学進学率が大学紛争とその後の大学改革の引き金となり、その世代の研究開発能力が日本の産業技術革新を支えた。大学改革においては、圧倒的に経済システムの影響下での変革であったと言えるだろう。自律性の高かった大学を改革の名のもとに、文部科学省と経済システムの支配下に組み込む意図が見え隠れする。ＩＣＴの発達で、コンテンツ産業から流通消費まで、市民社会と科学技術の結びつきは強固となり、情報消費過程が大きく変貌を遂げた。法整備などは立ち遅れているのが現状だ。

市民社会とのコミュニケーションだが、戦前は兵士や労働者であり、その後は消費者であり、科学技術政策において、市民社会は長年客体でしかなかった。一部は、理工系大学の卒業生として、研究開発を担う人材として想定されてきた。しかし、市民社会は成熟し、市民社会を主体とした科学技術政策に変換することが求められるようになってきている。ＩＣＴの発達は、市民社会の各システムとのコミュニケーションを促進し、コミュニケーションは双方向型になり、市民社会の存在意義が増して来ている。少子高齢化に対応した科学技術政策が求められるようになっており、ＡＩやビッグデータ活用における、市民社会の参画が、これからの産業社会において不可欠な要素となっている。科学技術政策の主体に市民社会を据える必要が増していると思われる。

8. 政策提言

科学技術立国という概念の再定義が必要だと考える。産学官の連携により、主に製造業分野の新しい商品を開発するグローバル人材が必要であるという産業界からの要請を、科学技術政策の柱に置くべきではない。あくまでも、政策の主体は市民社会であり、市民社会の発展のための科学技術政策であるべきだろう。産業振興があって豊かな暮らしがあるのではなく、豊かな暮らしをするために産業振興が不可欠なのだ。市民社会は成熟し、戦後のように経済発展のために滅私奉公する労働者ではなくなっていることを忘れるべきではないだろう。ＩＣＴやＩｏＴの浸透は、各システムのコミュニケーションを促進し、コミュニケーションは双方向型になり、市民社会の存在意義を拡大している。大学改革についても、未来を担う若者が学習する環境を整備するのが大学改革の主眼であるべきで、新産業を担う研究人材の育成を改革の主眼にすべきではない。政府の意図に、補助金や法制度で大学を従わせるというのは、教育の本旨にもとるだけでなく、時代に逆行しており、大学の自律性を高める方向に舵を切るべきだろう。明治時代のように官学の大学が西洋の進んだ知見を移入すればいいという時代ではない。政府がコントロールすれば上手くいくという幻想は捨てるべきだろう。アメリカのシリコンバレーで、ＩＴ産業が生まれたのは、何よりも新しい時代の情報技術を担う革新的な若者文化が存在したからだ。そのような、文化が存在しない場所で、施設を整備し、予算を措置し、国のコントロール下で官営の産業集積を計画しても、イノベーションは起きない。これは、日本でシリコンバレーが創れなかった根本原因ではないだろうか。そして、文化とは政府の主導によって醸成されるようなものではない。現在、大学発ベンチャーの育成が急がれているが、成果は芳しくない。若者の起業文化を醸成することをせず、箱や制度だけ整備しても、それをトレンドにするのは困難なのではないだろうか。

全国の大学には、歴史と伝統、独自の文化があり、そのようなものを尊重する中に、日本独自の研究開発のアイディアや方策が生み出されるだろう。その文化を支えるのが、総合大学であればリベラルアーツであり、地域との交流、卒業生のネットワークであるだろう。歴史と文化の街に存立する京都大学でノーベル賞受賞者が多数輩出されているのは、当然のことだろう。科学技術立国は産業界が支えているのではなく、豊かな暮らしを願った市民社会が、生み出したものなのである。学びたいと願った若者の研究活動の成果がベースとなって、創り上げられたものなのである。大学の学問研究とは、産業振興のためのものではなく、真理の探究のためにあるべきで、それを大学人から奪ってしまったら、この国の志ある各界のリーダーは育成されることはなくなるだろう。しかも、現在の情報技術革新は、ボーダレスで異領域の融合知の側面が強い。文字通り、システム間のコミュニケーションの産物だ。理工系だけに特化した大学改革は先見の明がないと思われる。総じて、明治以来の政府のコントロール幻想から、市民の自律型国家への変容が、新しい時代の科学技術立国のコンセプトになるべきだ。科学を牽引するのは、理想の社会像や人類への愛情、未来への夢があるからであり、それは文科系の深い知識や歴史の反省を基にした未来へのビジョンがあってのことである。そのような総合知を抜きに、近視眼的な産業界からの要望で科学技術立国を創造しようというのは、浅慮と批判されても仕方ないのではないだろうか。日本の科学技術政策は、システム間のコミュニケーションの視点を取り入れて、根本から見直されるべきであると考える。

あとがき

科学知と社会との関係性を考える試みを始めて、2冊目の書籍を世に出すことができた。私は元新聞記者であり、その後出版社で編集者として働いた経歴を持っている。その後、教育業界に転身して、様々な学校で様々な教科を教えて現在に至る。元々理系であり、大学では水俣支援に関わった経験から、公害問題や環境問題など科学と科学技術が社会とどう関わるかについて深く関心を持ち続けてきた。この国の産業の基盤でもある科学や科学技術が社会とどのような関係性を持っているか、それを分析する手法も未熟であり、産業社会批判を志す研究者も少ない。いつしか、その手法の一つを提示したいと考えるようになった。日々の取材に追われているジャーナリズムが社会構造的な課題、あるいは政策論レベルの批判を展開することは難しいのが実際のところだ。自分自身新聞記者だったのでそのことはよく分かっている。アメリカのようにオルタナティブな政策論をジャーナリストが出版してベストセラーになりピューリッツァー賞を受賞するような現象は、この国では期待薄だろう。学位を取るために関わった学会では、制約が大きく自由な論議がなされないことに悲しみさえ覚えた。論文にもいわゆる学問としての制約があり、なかなか思う通りの内容が許容されない。

そこで、ジャーナリズムと学問の橋渡しをするようなタイプの書籍を出版することを試みることにした。このような本は一種のジャーナリズムだと私は考えている。新聞社の支局時代の同僚は癌でこの世を去った。入社して配属された支局の支局長もはるか昔に癌で逝去し、採用に際して恩義のあるリクルーターも道半ばにして癌で亡くなった。彼らは私が科学ジャーナリストになってくれることを望んだが、私の力不足でそのような人生は歩めなかった。厳しい現場で働く記者さんたちに、このような本が援護射撃になればとも思っている。こういう地味な本は売れないので、出版して下さる版元さんには感謝している。もちろん、手に取って下さった読者の皆様には本当に感謝している。出版業界は火の車で、地方から書店さんも撤退していて、本を読む人口も減っている。私が暮らしている地方都市でも、老舗の書店さんが中心市街地から次々と撤退しており、代わりに全国チェーンの薬局や１００円ショップ、ゲームセンターなどが出店している状況だ。若者はスマホのプラットフォーマーが無料で提供するニュースの見出しを見て、この国や世界のニュースを知ったつもりでいる。表示されるのは主に芸能ニュースとスポーツニュースなのだが、メディアリテラシーもないからそのことに疑問も感じない。そして、ニュースではなく、自分の趣味にあった情報を検索して閲覧するのが新しい情報収集の流儀なのだという。しかし、私は出版というメディアを信じており、このメディアが存続しなければこの国の未来はないと考えている。自分のバイアスのかからない多様な書籍に出会うことができる書店とは素晴らしいメディアだと思っている。同様な理由で新聞というメディアも機能不全に陥らないで欲しいと切に願っている。前回の『科学情報過程論』も平積みにして下さった書店さんがあり、驚愕するとともに感謝に堪えない。そのような意図で、前回の続編としてこの本を上梓する運びとなった。できれば一年後に大阪万博に向け、この国の科学技術立国政策を問う本を出版したいと考えている。版元さんは協力して下さるということなので、期待して待っていて欲しい。同じような地味な本にはなるとは思うが、有意義なものにしたいと思っている。

社会学には科学社会論というジャンルがあって、日本では科学社会論学会という学会が知られている。その創始者の一人であり反原発の学者としても知られた吉岡斉先生も癌で世を去られた。原子力発電の技術や政策を批判する理系の学者が少ないことに不安を覚える。学会が今後どうなるのかも気がかりである。社会的な役割を果たしてきた学会ではあるが、しかしながら、科学社会論では、科学と社会というカテゴリーの対置で相互作用を捉えてきた。科学者や科学者集団とそれ以外という構図である。そうすると、社会というカテゴリーに大企業などの産業も（私は経済システムと位置付けているが）、労働者や市民（私は市民社会と位置付けている）も属してしまうことになる。それで、一体何の分析ができるのだろうかというのが、私がこの本の分析装置であるパーソンズの社会システム論をリバイバルさせた理由である。時代は複雑性、ネットワークの時代、ポスト構造主義時代に何故社会システム論と思われる方もいらっしゃるだろう。しかし、経団連があり、国会議員がいて、マスコミや学校があり、町内会や自治会や商店街振興会がある市民社会が現に存在している中、社会システム論をリバイバルさせたほうが、有効な分析や批判ができるのではないだろうかというのが、私の問題提起の理由の一つでもある。それは、元新聞記者としての政治や経済を取材した実感から来ている。また、レヴィ＝ストロースからの構造主義が、未だに分析装置として有効であり、ポストモダニズムは運動論としては有意義かもしれないが、社会批判の装置としては日本ではあまり有効に機能しなかったのではないか、それどころか有効な批判軸を見失わせたのではないかという懸念さえ持っている。水俣支援の仲間からは、このような本は魂の言葉ではないという批判を受けた。元々石牟礼道子さんの編集担当であり、そういう批判が理解できない訳ではない。このような理屈の本でも、私なりの魂は込めさせていただいたつもりだが、この種類の仕事をする人が少ないので私は役割分担だと思っている。理解頂けなくても仕方がないとは思っているが、自死したサークルの先輩である映画監督や博士論文執筆中に逝去したサークルの世話人をしていた女性のことは忘れたことはない。まだ生き残っている者として、それぞれの持ち場でそれぞれの闘いを生きるしかできることはないと思っている。

日本人は情緒を重んじ、理論を嫌う傾向が強い。理論とか理性とかいうものは支配者の民衆支配の道具であり、被害者に寄り添うことが正しい有り方だという考え方が強い。患者さんとともに、被災者とともに、というのはその通り重要なことだと思う。そして、だからこそ批判は空しく、未来に向かって行動をという動機付けがされることが多い。過去は水に流され、責任は曖昧になり、原因は追究されず、分析解明されることもない。加えて理論的な思考が得意であるマルクス主義の方々にとっては、市民社会とは乗り越えなければならない擬制であり、この国の議会制民主主義には初めから何の期待も持っていないのかもしれない。しかしながら、政策や構造は分析、検証されるべきであり、私は暴力革命は肯定できないので、議会制民主主義を有効に機能させるしか、この国のシステムを変えていくことは難しいと考える。脱原発を成し遂げたドイツや二大政党制を長年続けたイギリスの社会主義も議会制民主主義と社会主義を融合させた社会民主主義路線が重要な役割を果たしてきた。イギリス労働党の創始に深く関わっているフェビアン社会主義も暴力革命を否定している。この国の社会民主主義は低迷しているが、旧左翼だった方々には、今一度有効な理論の構築を期待して止まない。政権野党にオルタナティブな政策を提案してもらうためにも、理論や理屈は避けては通れないからだ。教育業界では、長年小論文の指導をさせてもらっている。この国の教育に圧倒的に足りないのは、自分の頭で考えることができる能力を身に着けさせることだと考えているからである。長年、知識の注入である暗記がこの国の学力の代名詞だった。今でも東大クイズ王というテレビ番組がヒットしているように、知識量の多い記憶力のよい人間が優秀だという思い込みが強い。学校での定期テストや大学入試も記憶力がものを言うのが現状だ。大学入試改革がなされて、記述は導入されるがオリジナルな思考力ではなく、与えられた課題の理解力を問う問題に過ぎないように感じる。現国の授業は、想定された解答を書く力が要求されており、斬新なものの見方を評価する採点基準は乏しい。小学生の頃からテストでいい点を取ることを教え込まれた優等生が、霞が関の官僚になってこの国の舵取りをしているが、皆さんはこの国の政策のレベルをどうお感じになられるだろうか。難関大学の歴史などの人文科学も知識量と通説を述べられるかどうかが合格の鍵になっている。アクティブラーニングの必要性が一時クローズアップされたが、文科省はその言葉の使用を辞めた。英語力の向上が急務とされ、民間試験が採用されたが、日本語で自分の考えを述べたり、論じたりする能力さえ欠如している中で、どれだけ英語力が身につくのだろうか。自分の考えや感情を言語化し、オリジナルな思考を展開するレッスンを若者や社会人に実践する中で、この国の未来は、自分の言葉を持つ若者や大人がどれだけ増えるのかということにかかっているのだと痛感している。だから、運動をしている人たちにこのような理論は魂の言葉ではないと批判されようとも、この種の試みには意味があると考えている。彼らは呆れるかもしれないが、いわば確信犯である。

地方創生という言葉が世を賑わしている。元々は人口減少問題から消滅自治体などがリストアップされる事態となり、国はまち・ひと・しごと創生戦略をスタート、各自治体に人口ビジョンを作らせ、対策をメニューアップさせた。国が示した地方創生施策とほぼ同内容の、金太郎飴のような施策が総合計画の名称で策定されて動いている。人口減少を招いた少子化や東京一極集中に関しては、地方自治体レベルでは抜本的な対策は難しい。保育所の整備やUターン・Iターンの促進、地元の産業振興などしか打つ手はない。国もワークライフバランスの実現として、働き方改革を唱えてはいるが、労働政策や雇用政策、社会保障や教育行政の抜本的な改革なくして、どれだけ出生率が回復するのか、かなりの困難が伴うだろう。減少する労働人口を補うために定年延長と女性の活躍、そして外国人労働者の導入に政府は舵を切った。長期の社会保障費などの推計なしに入管法の改正を決めており、大きな禍根を残した。そして、少子高齢化による国力の衰退への不安を払拭するために国が唱えたのがプラチナ社会であり、ＩＣＴやＡＩの活用でバラ色の未来が訪れるというSociety5.0というビジョン、さらに超スマート社会やデータ駆動型社会と総務省はヒートアップする。そもそも、バブル崩壊後の不良債権処理に際して企業に入り込んだ銀行屋が、財務諸表の数字合わせのリストラを行い、そのリストラのために派遣法が改正されて非正規雇用という雇用慣行が常態化するに至った。そのようなコストカットは単年度の企業の財務諸表は改善するかもしれないが、長期のビジョンが欠如していたため少子化傾向に拍車をかけたことは間違いないだろう。国は経団連の要求で、労働政策を大きく歪めたが、それが後世にどのように跳ね返るのか予測はしなかったのだろうか。このような長期のビジョンなき経済システムからの圧力での政策転換は、この国を存亡の危機に陥れかねない。政治家は次の選挙で勝つことしか考えないから、一部の優れた人材を除いては長期のビジョンは持ちようがないだろう。経団連に名を連ねる名だたる企業の社長さんたちも、自分が在籍する間の業績や株価にしか興味がない。まだ庶民が頼りにしている官僚も、今では官邸に人事を握られ時の政権に忖度するばかりで、政権与党に不利な推計を公表するとは思えない。また雇用政策は厚生労働省、産業政策は経済産業省の管轄だから、省益もあるのでどこまで有効に連動した政策が打たれるのか分からない。金融系のシンクタンクは経済システムのために存在しているから、市民の暮らしにメリットがある政策を打ち出すことは期待できない。だからこそ、民間や市民で政策を分析・検証・批判するような試みが不可欠になると考えている。そのためにも、自分で考える力を身に着けさせる教育が必須だと思っている。巻末にも広告が掲載されているが、小論文の書き方の入門書をかなり前に上梓した。インターネット時代の小論文テキストも近々作成しなければと思っている。

地域の中小企業の経営者の方々と話す機会が多いのだが、彼らの主要な関心は資金繰りであり、経営の安定であり、政府系金融機関や国からの補助金申請や、製造業であれば不良品を出さないことであり、親会社からの受注がなくならないことであり、従業員との意思疎通であり、どんな苦境でも心の安定を保つことである。政策論を話していると、自分たちの会社は利益を上げることだけで精一杯で、そんな社会をどうするかとかは考えられないと笑われる。例えば、この国ではドローンを一部建設業の必要時以外は殆ど自由に使えなく規制をかけてしまったが、新しいビジネスを自由に展開させることで世界規模のビジネスに育てようと考えている国も存在する。国土交通省の規制が経済産業省のビジョンとマッチングされる保証はなく、産業政策や科学技術政策を官僚任せにしておくことは極めて危険である。経団連や経団連のお抱え政治家の打ち出す施策と、地域の中小企業や市民の暮らしの利害は殆ど一致していない。私の専門外だが、社会保障政策や医療政策、教育政策や労働政策全般に渡ってそうなっている。地方議会の議員さんも忙しく、蜂のように休みなく地域を走り回っている。いつ、本を読んだり勉強したりするのだろうかと心配になるほどだ。士業も生き残りに必死で、従来リベラルな政治家を輩出する母体であった弁護士会でさえも疲弊している。その中で、技術革新を成し遂げたり、産学連携で新しい特許を実用化したり、大学や県の研究機関と連携して研究開発を続けたり、企業独自の大学院を作ったり、活躍している中小企業も多数存在している。そのような新産業創生のための研究会やコンソーシアムを商工会議所や地方自治体が音頭を取って組織していく動きもある。かれらが一歩引いたこういう書籍を評価してくれるかどうかは分からないが、少なくとも地元の経営者たちともコミュニケーションを図っていきたいし、今後もう少し実効性があり（つまり彼らのサバイバルに直結し）、中小企業の経営者にも届く言語でも発信していかなければならないと思っている。地方の問題点は、地域の中核産業を担う企業が存在し、多くの下請けがその部品を製造する構造になりがちなことだ。この国の下請けは、独自の研究開発で世界企業に育っていく業者はあまり多くない。役割は固定化され、納期の短縮や単価の引き下げ、親会社の様々な便宜を図ることを要求されたり、いわゆる下請け苛めのような慣行が常態化することになる。大ヒットした小説で、テレビドラマ化もされて高視聴率をマークした『下町ロケット』に出てくるようなやり手で優秀で人望がある経営者がそんなに数多く存在するはずもない。そして、彼らの命運を彼ら自身が自社レベルで切り開くだけでなく、地方の政策レベル、ひいては国の政策レベルに届くビジョンを培うべきだと考えている。そして、未来の産業社会の行方を定めるのは市民社会の欲望である。欲望自体が資本に作り出されたものであるという批判はあるが、例えばＳＤＧｓのように市民社会が持続可能な世界の価値観を持って暮らしたいと望んだ時、その社会の未来の産業の姿は今のような産業界の生き残りのためだけの産業ビジョンでは、描いていけないだろう。そのためにも、経済システムと市民社会、そして政治システムのシステム間のコミュニケーションが不可欠になるのだ。私がなぜ市民社会が科学や科学技術、科学技術政策や産業政策にコミットメントする必要があると考えているか、ご理解頂けただろうか。

今、世界レベルでの情報化が凄まじい勢いで進んでいる。ＧＡＦＡと呼ばれる巨大ＩＴ企業は一国の経済や政策レベルを超えて、世界戦略を展開している。いち早くＥＵがＧＡＦＡの個人情報収集に規制をかけ、様々な国が一国レベルの網をかけようと動き始めた。その際に使用するのは独占禁止法だったりするのが皮肉である。ＧＡＦＡは膨大な量の個人情報を握り、ビッグデータの形でも利活用し、ＡＩにも進出、未来産業の技術と市場と販路をほぼ手中にしている。国家機密の諜報にも手を染め、世界の富を独占して世界の支配者として君臨しようとしている。プラットフォーマーとしての支配だけでなく、金融にも乗り出そうとしている。世界的な規制をかけるか、国レベルで対抗策を講じないと、一国のメガバンクや地銀、信金レベルは一瞬にして存在意義を失いかねない。

スマホやフィンテックなどの利活用、低金利政策で銀行の本業の利益が失われ、大規模なリストラや店舗の廃止、将来的にはコンビニのＡＴＭを廃止することも検討されてきた。一部地銀は生き残りをかけてブロックチェーン技術を使った地域通貨を開発したり、金融庁の指導の下、地元企業のコンサル兼世話役、便利屋業務を買ってでざるを得なくなっている。そんな中、総務省は地域情報化を推進しようと躍起になっている。かなり前に各省庁が別々に提唱した地方情報化とは異なり、総務省自らが地方自治体の情報化を担う職員である自治体ＣＩＯ養成を実施し、地域ＩＣＴコンソーシアムの組織化を促そうと躍起になっているのだ。

Society5.0や超スマート社会という彼らのビジョンが背景にあることは言うまでもない。総務省のビジョンでは、地方自治体は国内の大手ＩＴ企業と契約してベンダーになってもらい、システム導入費と維持費・更新費用を末永く負担することになる。超スマート社会を実現する都市インフラを受注するのも国内の大手産業である。悪く言えば、一種の内需拡大策であり、ＧＡＦＡやファーウェイなどの安価で高品質な新興国の製品に押されて苦戦する国内ＩＴ企業の食い扶持を作って差し上げている状態だ。よく解釈すれば、国内ＩＴ企業をしばらく自治体案件で食べさせ、社会実験している間に、技術革新して世界と戦える力を養う時間的猶予を与えるということだろうか。私たちの税金を使ってであるが。しかし、私が暮らしている地方にも大手ベンダーと契約した自治体があり、メリットも存在することは確かだが、大手ベンダーの言いなりになってしまっているという批判や懸念の声も多く存在している。今後、一層地域情報化の動きは加速するだろうから、皆さんの暮らしている地方自治体の動きも注視することをお勧めする。当然、マイナンバー制度とも連動しているので、しっかりと情報を入手してそれぞれの地域で動かれたほうが賢明だろう。

衰退する国力の目くらましに、東京オリンピック・パラリンピック、そして大阪万博が国家プロジェクトとして催される。観光庁は観光立国を宣言し、観光を主要産業に育てたい意向だ。しかし、アジアや世界各国も日本と同等の素晴らしい観光資源を持っていて、この国の観光資源には現在の日本の製造業や医薬産業が持っているレベルの国際的な優位性はないように思う。大阪財界と首都圏の関係、日本維新の会や自民党など政財界の思惑で実現した大阪万博ではあるが、もはや万博の時代ではないという批判も大きく、何の反省もないままに科学技術立国、ものづくり大国神話の再生を一部の有力者に夢想されても迷惑なだけのように思う。税金を投入し巨額なパビリオンを作り、例え高齢化社会や環境問題に関連する新技術をというコンセプトであろうとも、前回の大阪万博の時代とは情報発信の在り方が激変しているうえ、国家がプロパガンダとして未来産業ビジョンを描く時代は終焉しているように感じる。皆さんはどうお考えだろうか。少し古くなっている論文もあるが、拙著が皆さんが皆さんのビジョンを描くための少しでも参考になれば望外の喜びである。

参考文献

第1章

ミランダ・A・シュラーズ『ドイツは脱原発を選んだ』岩波ブックレット、2011年
笠潤平『原子力と理科教育　次世代の科学リテラシーのために』岩波ブックレット、2013年
七沢潔『原発事故を問う―チェルノブイリから、もんじゅへ―』岩波新書　1996年
広河隆一『チェルノブイリ報告』岩波新書、1991年
山岡淳一郎『原発と権力―戦後から辿る支配者の系譜』ちくま新書、2011年
高木仁三郎『プルトニウムの恐怖』岩波新書、1981年
高木仁三郎『市民科学者として生きる』岩波新書、1999年
長谷川広一『脱原子力社会へ―電力をグリーン化する』岩波新書、2011年
高木仁三郎『原発事故はなぜくりかえすのか』岩波新書、2000年
海渡雄一『原発訴訟』岩波新書、2011年
本間龍『原発プロパガンダ』岩波新書、2016年
タルコット・パーソンズ『政治と社会構造〈上・下〉』誠信書房、1973年

第2章

情報通信白書forkids　http://www.soumu.go.jp/joho_tsusin/kids/internet/statistics/internet_01.html（２０１７・８・29）

NECホームページ（ITの歴史）http://jpn.nec.com/kotohajime/meet03.html（２０１７・７・３）

首相官邸ホームページ（e-ジャパン戦略）http://www.kantei.go.jp/jp/singi/it2/dai1/0122summary_j.html（２０１７・８・31）

総務省ホームページ（スマートプラチナ構想）　http://www.soumu.go.jp/menu_news/s-news/01ryutsu02_02000069.html（２０１７・８・31）

JMOOCホームページhttps://www.jmooc.jp/（２０１７・８・31）

首相官邸ホームページ（OECD８原則）http://www.kantei.go.jp/jp/it/privacy/houseika/hourituan/pdfs/03.pdf#search=%27oecd8%E5%8E%9F%E5%89%87%E3%81%A8%E3%81%AF%27（２０１７・８・31）

個人情報保護法対策室（Safe―Harbor原則）http://www.nec-nexs.com/privacy/about/background.html（２０１７・８・31）

総務省ホームページ（選挙運動へのインターネット解禁）http://www.soumu.go.jp/main_content/000225176.pdf（２０１７・８・31）

ネットリサーチ　ティムスドライブ（新聞に関するアンケート）http://biz-journal.jp/2013/10/post_3071.html（２０１７・８・31）

総務省ホームページ（スマートスクール推進事業）http://www.soumu.go.jp/main_sosiki/joho_tsusin/kyouiku_joho-ka/smart.html（２０１７．８．31）

総務省（２０２０年小学校プログラミング必修化どう準備するか）http:// www.soumu.go.jp/main_content/000464776.pdf（２０１７．８．31）

ビジネスジャーナル（就活でＦＢ使用、なぜ広がらない） http://biz-journal.jp/2013/10/post_3071.html（２０１７．８．31）

外務省ホームページ（沖縄憲章）http://www.mofa.go.jp/mofaj/gaiko/summit/ko_2000/documents/it2.html（２０１７．９．１）

首相官邸ホームページ（ＩＴ戦略本部）http://www.kantei.go.jp/jp/singi/it/index.html（２０１７．９．１）

首相官邸ホームページ（ｅ－ｊａｐａｎ戦略Ⅱ）http://www.kantei.go.jp/jp/singi/it2/kettei/ejapan2/030702g aiyou.htm（２０１７９．１）

首相官邸ホームページ（ｉ－ｊａｐａｎ戦略２０１５）http://www.kantei.go.jp/jp/singi/it2/kettei/090706honbun.pdf#search=%27i%E2%80%90japan%E6%88%A6%E7%95%A52015%27（２０１７．９．１）

首相官邸ホームページ（ＩＴ国家宣言）http://www.kantei.go.jp/jp/singi/it2/decision.html（２０１７．９．１）

浜田和幸『ヘッジファンド――世紀末の妖怪』文春新書、１９９９年

金子郁容『ボランティア――もう一つの情報社会』岩波新書、１９９２年

『Here Comes Everybody：The Power of Organizing　Without Organizations』Clay Shirky　PenguinPress、２００９年

第3章

Newsphere（ホーキング博士インタビュー）
http://newsphere.jp/world-report/20141204-4/（２０１７．２．23）

オックスフォード大学マーチン校ホームページhttp://www.oxfordmartin.ox.ac.uk/downloads/academic/The_Future_of_Employment.pdf（２０１７．２．23）

日本経済新聞ホームページ（シンガポールでの自動運転）http://www.nikkei.com/article/DGXMZO06696480R30C16A8000000/（２０１７．７．13）

ＡＩ同盟ホームページ https://www.partnershiponai.org/（２０１７．７．13）

岩本晃一『インダストリー４．０を推進するドイツの国内事情及び国家目標』経済産業研究所ホームページ http://www.rieti.go.jp/jp/publications/pdp/16p009.pdf#search=%27%E3%82%A4%E3%83%B3%E3%83%80%E3%82%B9%E3%83%88%E3%83%AA%E3%83%BC4.0+%E3%83%89%E3%82%A4%E3%83%84%27（２０１７．８．９）

西垣通『ビッグデータと人工知能　可能性と罠を見極める』中公新書、２０１６年、ｐ68

マーシュジャパンホームページ（ダボス会議報告書）http://www.marsh-jp.com/mj/newsroom/global2017.html（２０１７．８．８）

東洋経済オンラインhttp://toyokeizai.net/articles/-/101235(２０１７．２．28)
日本労働者組合総連合会https://www.jtuc-rengo.or.jp/activity/roudou/shuntou/2016/houshin/houshin.html(２０１７．２．28)
産業労連レポート(第四次産業革命と労働)http://ictj-report.joho.or.jp/1611/sp03.html(２０１７．８．14)
ＩｏＴ推進コンソーシアムホームページhttp://www.iotac.jp/(２０１７．８．14)
タルコット・パーソンズ『政治と社会構造〈上・下〉』誠信書房、１９７３年

第4章

日本科学技術ジャーナリスト会議編『科学ジャーナリズムの世界』化学同人、２００４年
瀬川至朗『科学報道の真相：ジャーナリズムとマスメディア共同体』ちくま新書、２０１７年
『原発報道は「大本営発表」だったか　朝・毎・読・日経の記事から探る(検証3．11報道)』瀬川至朗ｊｏｕｒｎａｌｉｚｍ　２０１１年8月　ｐ28～39
『科学技術白書』　28年度版、29年度版
洋泉社編集部編『江戸の理科力』洋泉社、２０１４年
天野郁夫『大学の誕生(上)』中公新書、２００９年、ｐ28～20
トーマス・クーン『科学革命の構造』みすず書房、１９７１年

小林傳司『トランス・サイエンスの時代─科学技術と社会をつなぐ』NTT出版、2007年
石牟礼道子『苦海浄土』講談社文庫、1972年
高木仁三郎『原発事故はなぜくりかえすのか』岩波新書、2000年
高木仁三郎『市民科学者として生きる』岩波新書、1999年
有吉佐和子『複合汚染』新潮社、1975年
立花隆『脳死』中公文庫、1988年
柳田邦男『マッハの恐怖』フジ出版、1971年
本間龍『原発プロパガンダ』岩波新書、2016年
ユルゲン・ハーバーマス『公共性の構造転換』未来社、1973年
ユルゲン・ハーバーマス『コミュニケーション的行為の理論〈上・中・下〉』未来社、1985─1987年
ニコラス・ルーマン『社会システム理論〈上・下〉』恒星社厚生閣、1993年
タルコット・パーソンズ『政治と社会構造〈上・下〉』誠信書房、1973年

第5章

中村征樹『サイエンスカフェ：現状と課題』科学技術社会論研究、5、2008年
小林傳司『トランス・サイエンスの時代─科学技術と社会をつなぐ』NTT出版ライブラリーレゾナンス、

２００７年
タルコット・パーソンズ『政治と社会構造〈上・下〉』誠信書房、１９７３年
ユルゲン・ハーバーマス『公共性の構造転換』未来社、１９７３年
ユルゲン・ハーバーマス『コミュニケーション的行為の理論〈上・中・下〉』未来社、１９８５―１９８７年
ニコラス・ルーマン『社会システム理論〈上・下〉』、恒星社厚生閣、１９９３年

第6章

科学技術振興機構報告書https://jipsti.jst.go.jp/foresight/pdf/Top10Articles.pdf#search=%27%E4%B8%BB%E8%A6%81%E5%88%86%E9%87%8E+%E7%A7%91%E5%AD%A6%E8%AB%96%E6%96%87%E6%95%B0%27（２０１８．12．１）
平成26年度文部科学省委託調査三菱総合研究所https://scirex.grips.ac.jp/resources/download/MRI_hokukokusyo_7.pdf#search=%27%E6%88%A6%E5%89%8D%E3%81%AE%E7%A7%91%E5%AD%A6%E6%8A%80%E8%A1%93%E6%94%BF%E7%AD%96%27（２０１８．12．１）
平成26年度文部科学省委託調査https://scirex.grips.ac.jp/resources/download/MRI_hokukokusyo_7.pdf#search=%27GHQ%E3%81%AE%E7%A7%91%E5%AD%A6%E6%8A%80%E8%A1%93%E6%94%BF%E7%AD%96%27（２０１８．12．１）
経済産業省レポートイノベーション政策についてhttp://www.meti.go.jp/shingikai/sankoshin/sangyo_gijutsu/pdf/004_02_00.pdf#search=%27%E7%B5%8C%E7%94%A3%E7%9C%81+%E3%82%A4%E3%83%

8E%E3%83%99%E3%83%BC%E3%82%B7%E3%83%A7%E3%83%B3%E6%94%BF%E7%AD%96%27（２０１８・12・１）

文部科学省科学技術・学術政策研究所　ディスカッションペーパー　民間企業における博士の採用と活用 http://data.nistep.go.jp/dspace/bitstream/11035/2996/5/NISTEP-DP111-FullJ.pdf#search=%27%E5%8D%9A%E5%A3%AB%E5%8F%B7+%E6%B0%91%E9%96%93%E6%8E%A1%E7%94%A8%27（２０１８・12・６）

大学生の起業意識調査レポートhttp://data.nistep.go.jp/dspace/bitstream/11035/2996/5/NISTEP-DP111-FullJ.pdf#search=%27%E5%8D%9A%E5%A3%AB%E5%8F%B7+%E6%B0%91%E9%96%93%E6%8E%A1%E7%94%A8%27（２０１８・12・６）

著者プロフィール

島田久美子（しまだ・くみこ）

静岡生まれ

静岡高校卒、東京大学理科Ⅱ類入学

東京大学社会情報研究所（旧新聞研究所）教育部修了

東京大学学際情報学府修了（修士・社会情報学）

日本大学大学院総合社会情報研究科後期博士課程修了（博士・総合社会文化）

読売新聞社記者、河出書房新社編集者を経て、河合塾・駿台予備校・Ｚ会で小論文出題・指導

中学・高校・専門学校・大学・予備校で指導。

日本ペンクラブ会員

サイエンスコミュニケーター

著作に、『いのちの環境情報学』『実戦小論文講座』『科学情報過程論』（遊友出版）がある

島田久美子　著書

科学情報過程論

市民社会は現代技術を制御できるのか!
社会システム論を援用して、未来への道を探る。

激変する科学技術に、情報共有がないまま巻き込まれるのは危険である。科学知と社会の関係性のあり方の決定に、市民が参画するためのシステム構築の可能性を探索する『科学情報過程論』第一弾。

第一章では、社会システム論を援用して情報過程の分析装置を提示し、水俣病をモチーフにその有効性を検証する。第二章では、大学理系学部とシステム間のコミュニケーションを分析。第三章からは、DNA情報、環境問題、脳死臓器移植について分析。第六章で従来の科学知とのコミュニケーション施策と問題点を、第七章でシステム間のコミュニケーションの現状と課題を分析し、文化システムを主眼にした政策を考える。

本体価格 1,200 円＋税

いのちの環境情報学

「いのち」の視座から地球環境を考える。
DNA、IT、そして未来へ！

いのちの複雑さ、生物の進化とDNAの伝達、その環境による変化を詳しく解説。公害やその環境での生態系や保全、さらにはヒトゲノムについてなど、いのちのあり方を考える一冊。

第1章では生命情報の複雑さ、遺伝情報の伝達、そして進化DNAなどを考えていく。第2章では生命と環境について考える。日本の公害（水俣病、四日市ぜんそく）、DNA損傷の恐怖、多様性が種の保全を助ける、他。第3章は情報化社会について。コンピューターの登場から始まり、ヒトゲノムの計算、インターネットの時代、情報化社会の現実と理想を考える。第4章は生命・環境・情報を総括して。有限の生命が希求し続ける無限とはなにかを考える。

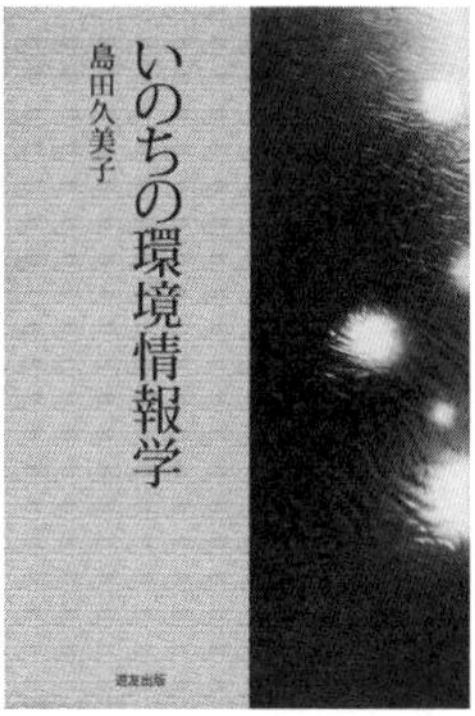

本体価格 1,200円＋税

プロが指導する
実戦的
小論文講座

自分を最大にPRする手法を伝授、相手の心を動かす文章作りを指導、社会の動きを取り込むコツを教授、小論文プロの実戦的アドバイス。

Ⅰ～Ⅳ章に段階を踏んで組み立てていく。
第Ⅰ章では自分を知ること。そして自分をアピールする文章作り。そのためのメモづくりが基本であることをレクチャー。第Ⅱ章では今度は相手を知ること。採点者は何をチェックするのかを知る、志望理由書で採用側の心をつかむ。第Ⅲ章で「書き方を知る」、「小論文を書く手順」、「ジャンル別の小論文の書き方」を解説。最終章の第Ⅳ章では「時代を知る」環境問題や格差社会、少子化、医療問題など様々な基本的な知識と問題意識を背景に考察。

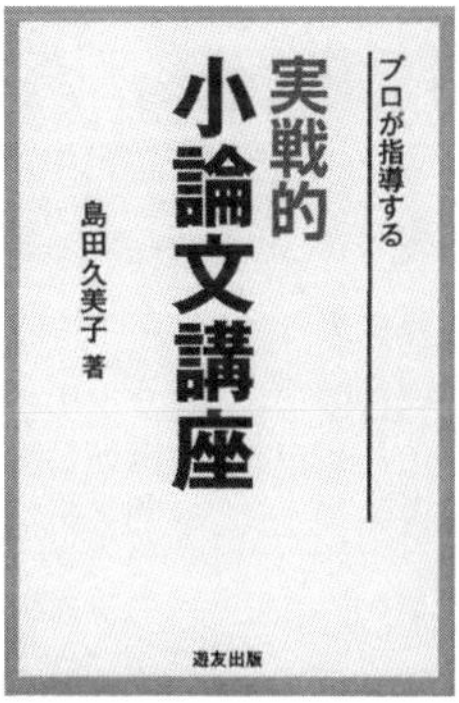

本体価格 1,200円＋税

科学情報過程論 II
— 科学技術立国を検証する —

2019年5月9日　第1刷発行

著　者　　島田 久美子
発行者　　斎藤 一郎
発行所　　遊友出版株式会社
郵便番号 101-0061
東京都千代田区神田三崎町 2-12-7
電話 03（3288）1696　FAX 03（3288）1697
振替 00100-4-54126
ホームページ http://www.yuyu-books.jp/
印刷・製本　株式会社 技秀堂

■落丁・乱丁の際はお取り換えいたします。小社までお送りください。

ISBN 978-4-946510-59-5